201 RUSSIAN VERBS
FULLY CONJUGATED IN ALL THE TENSES
Alphabetically arranged

Patricia Anne Davis, Ph.D.

Assistant Professor
Department of Slavic Languages
University of Pennsylvania

BARRON'S EDUCATIONAL SERIES
Woodbury, New York

All inquiries should be addressed to:
Barron's Educational Series, Inc.
113 Crossways Park Drive
Woodbury, New York 11797

Library of Congress Catalog Card No. 67–26140

PRINTED IN THE UNITED STATES OF AMERICA

PREFACE

MANY NEW MANUALS on the Russian language have been published in this country during the last ten years. Nevertheless, the teacher of Russian still does not have available the wide choice of textbooks which teachers of French, Spanish, and German have. There are serious gaps in the textbook description of Russian grammar. *201 Russian Verbs* fills one such gap by supplying a systematic survey of Russian verbal morphology. Its publication is most welcome. [To be sure, Soviet and European handbooks of verb morphology have been published. They are, however, difficult to obtain for classroom use in this country. The supply of Soviet textbooks is notoriously subject to the notice 'out of print'.]

201 Russian Verbs is designed for use on all levels of instruction. It can be employed in a beginning high-school or college Russian course. On the other hand, it can also be used at advanced levels. Even advanced students are often uncertain, for example, of the stress in the past tense of monosyllabic verbs. The inclusion of participial forms is to be welcomed. Such forms are used very often in literary Russian, and the student should be thoroughly familiar with their morphology.

Aspectual pairs are treated consistently and clearly. Careful attention is paid to determinate and indeterminate verbs. The reader should examine the Introduction carefully in order to understand the system used in the index to cross-reference related verbs.

The verbal systems constitute one of the salient differences between Russian and English. Such differences cause great difficulties when Americans study Russian. This clear, practical manual will help our students overcome the difficulties arising from the morphology and accentuation of the Russian verb.

The major sources of morphological, aspectual, and accentual data used in this book are the following: S. I. Ozhegov, *Slovar' russkogo jazyka* (Moscow, 1960); L. I. Pirogova and S. L. Makarova, *Conjugation of Russian Verbs* (Moscow, n.d.); Daum and Schenk, *Die russischen Verben* (Leipzig, 1965). The verbs were selected on the basis of the vocabularies used in three well-known textbooks of beginning Russian.

Patricia Anne Davis is the director of undergraduate Russian instruction in the Department of Slavic Languages at the University of Pennsylvania. She also teaches the course on Applied Russian Linguistics to graduate students who are being prepared to serve as Teaching Fellows. In 1967, she participated in the Summer Exchange of Language Teachers with the Soviet Union and spent ten weeks at Moscow University. In 1968 she served as the Chairman of the College Methodology Section at the annual meeting of A.A.T.S.E.E.L. Dr. Davis is well qualified to be the author of *201 Russian Verbs.* (It is a pleasure to greet its publication.)

Morton Benson

INTRODUCTION

THE RUSSIAN VERB has always presented a great deal of difficulty to the American student. And yet, it seems, this should not be so, for many of the difficulties encountered in the verbal systems of other languages are not found in Russian. No Russian verb has more than three tenses of the indicative and one subjunctive, the imperative and perhaps four or five participial forms. There are only two conjugational patterns, and only five verbs whose forms differ so much from these patterns that they must be considered irregular.

This very simplicity may contribute to the difficulty experienced by the student, for grammar books rarely contain more than one fully conjugated sample verb for each conjugational pattern. The student is presented with rules for the formation of various verbal forms and must apply these rules to each verb as he meets it. For many students it is easier to proceed from specific examples to rules. It is these examples that this book attempts to provide. It includes 201 of the most common Russian verbs with complete conjugations and participles.

The arrangement on each page is as simple as possible in order to facilitate learning. At the top of each page both imperfective and perfective infinitives are given. The verbs are listed in alphabetical order according to the imperfective infinitive. If a student needs to know the conjugation of a perfective verb, he must look it up in the index where its imperfective infinitive is listed.

Many Russian verbs are formed by the addition of a prefix to a basic verb. Not all of these prefixed forms are conjugated here. Generally only one such verb is conjugated, and those with different prefixes are listed in the index with a cross reference to the conjugated verb.

Reflexive infinitives are listed at the top of some pages below the non-reflexive ones. This has been done only if the reflexive form is one that will be met frequently by the student and has a meaning somewhat different from the non-reflexive form. The conjugation of such reflexive verbs is identical to that of the non-reflexive verb with the addition of the reflexive particle. It must be borne in mind, however, that reflexive verbs do not have passive participles.

A discussion of the morphology of the verb is not within the scope of this book. For usage of aspects, tenses and participles, a grammar book must be consulted. However, a special word of explanation must be given for the verbs of motion. These verbs have two imperfective infinitives – indeterminate and determinate – which are conjugated together on the same page. A perfective infinitive is also listed at the top of the page but not conjugated. The perfective infinitive is followed by a second perfective infinitive with a different prefix but identical conjugation. The second verb is conjugated in full on its proper page.

No treatment of Russian verbs would be complete without some discussion of the participles. An imperfective verb can have a maximum of four adjectival participles and a perfective verb a maximum of two. Only those that occur relatively frequently are included here. The absence of a form from these pages does not necessarily imply its complete non-existence. It may mean only that the given form is rare and unlikely to be met by the student, and that its inclusion would tend to contribute to confusion rather than clarity. For this reason, the past passive participle of imperfective verbs, although it can be formed for many verbs, is included only if it is considered to be in very frequent use. For the same reason, the past-tense adverbial participle is never given for imperfective verbs although theoretically this form quite frequently can be formed.

It should be noted that certain verbal forms do not exist. Perfective verbs do not have present-tense forms or present participles. Intransitive and reflexive verbs do not have passive participles.

All adjectival participles have an adjectival declension. They are given here in the masculine nominative singular form. The other nominative forms are indicated in the sample verb pattern included at the front of the book. Adverbial participles are invariable.

The short forms of the past passive participle are given only if there is a shift of stress. If the masculine and feminine forms only are given, then the neuter and plural forms are stressed like the feminine. If masculine, feminine, and neuter forms are listed, then the plural has the same stress as the neuter. Other short forms are indicated in the sample verb patterns.

The past-tense (perfective) adverbial participle is given for most verbs in two forms – the long form being indicated in parentheses following the short form. If the long form alone is shown, then this is the only form possible.

The subject pronouns are omitted in the conjugations for the sake of simplicity. They are not necessarily omitted in normal Russian usage.

CONTENTS

SAMPLE CONJUGATION OF A NON-REFLEXIVE VERB WITH SUBJECT PRONOUNS

ПРОЩАТЬ / ПРОСТИТЬ

FORGIVE

	IMPERFECTIVE ASPECT		PERFECTIVE ASPECT	
INF.	проща́ть		прости́ть	
PRES.	я проща́ю	мы проща́ем		
	ты проща́ешь	вы проща́ете	———	
	он она проща́ет оно	они проща́ют		
PAST	я, ты, он проща́л		я, ты, он прости́л	
	я, ты, она ирощáла		я, ты, она прости́ла	
	оно проща́ло		оно прости́ло	
	мы, вы, они проща́ли		мы, вы, они прости́ли	
FUT.	я бу́ду проща́ть	мы бу́дем проща́ть	я прощу́	мы прости́м
	ты бу́дешь проща́ть	вы бу́дете проща́ть	ты прости́шь	вы прости́те
	он она бу́дет проща́ть оно	они бу́дут проща́ть	он она прости́т оно	они простя́т
SUBJ.	я, ты, он проща́л бы		я, ты, он прости́л бы	
	я, ты, она проща́ла бы		я, ты, она прости́ла бы	
	оно проща́ло бы		оно прости́ло бы	
	мы, вы, они проща́ли бы		мы, вы, они прости́ли бы	
IMP.	(ты) проща́й		(ты) прости́	
	(вы) проща́йте		(вы) прости́те	

PARTICIPLES

PRES. ACT.	проща́ющий, -ая, -ее, -ие	———
PRES. PASS.	проща́емый, -ая, -ое, -ые (проща́ем, проща́ема, проща́емо, проща́емы)	———
PAST ACT.	проща́вший, -ая, -ее, -ие	прости́вший, -ая, -ее, -ие
PAST PASS.	———	прощённый, -ая, -ое, -ые (прощён, прощена́, прощено́, прощены́)
ADV. PART.	проща́я	прости́в, прости́вши

SAMPLE CONJUGATION OF A REFLEXIVE VERB WITH SUBJECT PRONOUNS

ПРОЩАТЬСЯ / ПРОСТИТЬСЯ

SAY FAREWELL

	IMPERFECTIVE ASPECT		PERFECTIVE ASPECT	
INF.	проща́ться		прости́ться	
PRES.	я проща́юсь	мы проща́емся		
	ты проща́ешься	вы проща́етесь		
	он она проща́ется оно	они проща́ются	———	
PAST	я, ты, он проща́лся		я, ты, он прости́лся	
	я, ты, она проща́лась		я, ты, она прости́лась	
	оно проща́лось		оно прости́лось	
	мы, вы, они проща́лись		мы, вы, они прости́лись	
FUT.	я бу́ду проща́ться	мы бу́дем проща́ться	я прощу́сь	мы прости́мся
	ты бу́дешь проща́ться	вы бу́дете проща́ться	ты прости́шься	вы прости́тесь
	он она бу́дет про-ща́ться оно	они бу́дут про-ща́ться	он она прости́тся оно	они простя́тся
SUBJ.	я, ты, он проща́лся бы		я, ты, он прости́лся бы	
	я, ты, она проща́лась бы		я, ты, она прости́лась бы	
	оно проща́лось бы		оно прости́лось бы	
	мы, вы, они проща́лись бы		мы, вы, они прости́лись бы	
IMP.	(ты) проща́йся		(ты) прости́сь	
	(вы) проща́йтесь		(вы) прости́тесь	

PARTICIPLES

PRES. ACT.	проща́ющийся, проща́ющаяся, проща́ющееся, проща́ющиеся	———
PRES. PASS.	———	———
PAST ACT.	проща́вшийся, проща́вшаяся, проща́вшееся, проща́вшиеся	прости́вшийся, прости́вшаяся, прости́вшееся, прости́вшиеся
PAST PASS.	———	———
ADV. PART.	проща́ясь	прости́вшись

ABBREVIATIONS USED IN THE TEXT

adv. part.	adverbial participle
fut.	future tense
I	imperfective aspect
imp.	imperative
inf.	infinitive
P	perfective aspect
past	past tense
past act.	past active participle
past pass.	past passive participle
pres.	present tense
pres. act.	present active participle
pres. pass.	present passive participle
subj.	subjunctive
trans.	transitive

201 RUSSIAN VERBS

RUN

Imperfective

	INDETERMINATE		DETERMINATE	
INF.	бéгать		бежáть	
PRES.	бéгаю	бéгаем	бегý	бежúм
	бéгаешь	бéгаете	бежúшь	бежúте
	бéгает	бéгают	бежúт	бегýт
PAST	бéгал		бежáл	
	бéгала		бежáла	
	бéгало		бежáло	
	бéгали		бежáли	
FUT.	бýду бéгать	бýдем бéгать	бýду бежáть	бýдем бежáть
	бýдешь бéгать	бýдете бéгать	бýдешь бежáть	бýдете бежáть
	бýдет бéгать	бýдут бéгать	бýдет бежáть	бýдут бежáть
SUBJ.	бéгал бы		бежáл бы	
	бéгала бы		бежáла бы	
	бéгало бы		бежáло бы	
	бéгали бы		бежáли бы	
IMP.	бéгай		бегú	
	бéгайте		бегúте	

PARTICIPLES

PRES. ACT.	бéгающий	бегýщий
PRES. PASS.	———	———
PAST ACT.	бéгавший	бежáвший
PAST PASS.	———	———
ADV. PART.	бéгая	———

БЕРЕЧЬ / ПОБЕРЕЧЬ

TAKE CARE OF

	IMPERFECTIVE ASPECT		PERFECTIVE ASPECT	
INF.	бере́чь		побере́чь	
PRES.	берегу́	бережём		
	бережёшь	бережёте	———	
	бережёт	берегу́т		
PAST	берёг		поберёг	
	берегла́		поберегла́	
	берегло́		поберегло́	
	берегли́		поберегли́	
FUT.	бу́ду бере́чь	бу́дем бере́чь	поберегу́	побережём
	бу́дешь бере́чь	бу́дете бере́чь	побережёшь	побережёте
	бу́дет бере́чь	бу́дут бере́чь	побережёт	поберегу́т
SUBJ.	берёг бы		поберёг бы	
	берегла́ бы		поберегла́ бы	
	берегло́ бы		поберегло́ бы	
	берегли́ бы		поберегли́ бы	
IMP.	береги́		побереги́	
	береги́те		побереги́те	

PARTICIPLES

PRES. ACT.	берегу́щий	———
PRES. PASS.	———	———
PAST ACT.	берёгший	поберёгший
PAST PASS.	———	———
ADV. PART.	———	поберёгши

MAKE UNEASY
BE UNEASY

	IMPERFECTIVE ASPECT		PERFECTIVE ASPECT	
INF.	беспоко́ить		обеспоко́ить	
PRES.	беспоко́ю	беспоко́им		
	беспоко́ишь	беспоко́ите		
	беспоко́ит	беспоко́ят	———	
PAST	беспоко́ил		обеспоко́ил	
	беспоко́ила		обеспоко́ила	
	беспоко́ило		обеспоко́ило	
	беспоко́или		обеспоко́или	
FUT.	бу́ду беспоко́ить	бу́дем беспоко́ить	обеспоко́ю	обеспоко́им
	бу́дешь беспоко́ить	бу́дете беспоко́ить	обеспоко́ишь	обеспоко́ите
	бу́дет беспоко́ить	бу́дут беспоко́ить	обеспоко́ит	обеспоко́ят
SUBJ.	беспоко́ил бы		обеспоко́ил бы	
	беспоко́ила бы		обеспоко́ила бы	
	беспоко́ило бы		обеспоко́ило бы	
	беспоко́или бы		обеспоко́или бы	
IMP.	беспоко́й		———	
	беспоко́йте		———	

PARTICIPLES

PRES. ACT.	беспоко́ящий	———
PRES. PASS.	беспоко́имый	———
PAST ACT.	беспоко́ивший	обеспоко́ивший
PAST PASS.	———	обеспоко́енный
ADV. PART.	беспоко́я	обеспоко́ив(-ши)

БЛАГОДАРИТЬ / ПОБЛАГОДАРИТЬ

THANK

	IMPERFECTIVE ASPECT		PERFECTIVE ASPECT	
INF.	благодари́ть		поблагодари́ть	
PRES.	благодарю́	благодари́м		
	благодари́шь	благодари́те	———	
	благодари́т	благодаря́т		
PAST	благодари́л		поблагодари́л	
	благодари́ла		поблагодари́ла	
	благодари́ло		поблагодари́ло	
	благодари́ли		поблагодари́ли	
FUT.	бу́ду	бу́дем	поблагодарю́	поблагодари́м
	бу́дешь	бу́дете	поблагодари́шь	поблагодари́те
	бу́дет	бу́дут	поблагодари́т	поблагодаря́т
	благодари́ть	благодари́ть		
SUBJ.	благодари́л бы		поблагодари́л бы	
	благодари́ла бы		поблагодари́ла бы	
	благодари́ло бы		поблагодари́ло бы	
	благодари́ли бы		поблагодари́ли бы	
IMP.	благодари́		поблагодари́	
	благодари́те		поблагодари́те	

PARTICIPLES

PRES. ACT.	благодаря́щий	———
PRES. PASS.	———	———
PAST ACT.	благодари́вший	поблагодари́вший
PAST PASS.	———	———
ADV. PART.	благодаря́	поблагодари́в(-ши)

BE ILL / BECOME ILL

	IMPERFECTIVE ASPECT		PERFECTIVE ASPECT	
INF.	**боле́ть**		**заболе́ть**	
PRES.	**боле́ю**	**боле́ем**		
	боле́ешь	**боле́ете**		
	боле́ет	**боле́ют**	———	
PAST	**боле́л**		**заболе́л**	
	боле́ла		**заболе́ла**	
	боле́ло		**заболе́ло**	
	боле́ли		**заболе́ли**	
FUT.	**бу́ду боле́ть**	**бу́дем боле́ть**	**заболе́ю**	**заболе́ем**
	бу́дешь боле́ть	**бу́дете боле́ть**	**заболе́ешь**	**заболе́ете**
	бу́дет боле́ть	**бу́дут боле́ть**	**заболе́ет**	**заболе́ют**
SUBJ.	**боле́л бы**		**заболе́л бы**	
	боле́ла бы		**заболе́ла бы**	
	боле́ло бы		**заболе́ло бы**	
	боле́ли бы		**заболе́ли бы**	
IMP.	**боле́й**		**заболе́й**	
	боле́йте		**заболе́йте**	

PARTICIPLES

PRES. ACT.	**боле́ющий**	———
PRES. PASS.	———	———
PAST ACT.	**боле́вший**	**заболе́вший**
PAST PASS.	———	———
ADV. PART.	**боле́я**	**заболе́в(-ши)**

БОЛЕТЬ (2)

ACHE

	IMPERFECTIVE ASPECT		PERFECTIVE ASPECT
INF.	**боле́ть**		
PRES.	———	———	
	———	———	
	боли́т	**боля́т**	
PAST	(он) **боле́л**		
	(она) **боле́ла**		
	(оно) **боле́ло**		
	(они) **боле́ли**		
FUT.	———	———	
	———	———	
	бу́дет боле́ть	**бу́дут боле́ть**	
SUBJ.	(он) **боле́л бы**		
	(она) **боле́ла бы**		
	(оно) **боле́ло бы**		
	(они) **боле́ли бы**		
IMP.	———		
	———		

PARTICIPLES

PRES. ACT. **боля́щий**

PRES. PASS. ———

PAST ACT. **боле́вший**

PAST PASS. ———

ADV. PART. ———

BE AFRAID OF

	IMPERFECTIVE ASPECT		PERFECTIVE ASPECT	
INF.	боя́ться		побоя́ться	
PRES.	бою́сь	бои́мся		
	бои́шься	бои́тесь		
	бои́тся	боя́тся		
PAST	боя́лся		побоя́лся	
	боя́лась		побоя́лась	
	боя́лось		побоя́лось	
	боя́лись		побоя́лись	
FUT.	бу́ду боя́ться	бу́дем боя́ться	побою́сь	побои́мся
	бу́дешь боя́ться	бу́дете боя́ться	побои́шься	побои́тесь
	бу́дет боя́ться	бу́дут боя́ться	побои́тся	побоя́тся
SUBJ.	боя́лся бы		побоя́лся бы	
	боя́лась бы		побоя́лась бы	
	боя́лось бы		побоя́лось бы	
	боя́лись бы		побоя́лись бы	
IMP.	бо́йся		побо́йся	
	бо́йтесь		побо́йтесь	

PARTICIPLES

PRES. ACT.	боя́щийся	———
PRES. PASS.	———	———
PAST ACT.	боя́вшийся	побоя́вшийся
PAST PASS.	———	———
ADV. PART.	боя́сь	побоя́вшись

БРАТЬ / ВЗЯТЬ

TAKE

	IMPERFECTIVE ASPECT		PERFECTIVE ASPECT	
INF.	**брать**		**взять**	
PRES.	**беру́**	**берём**		
	берёшь	**берёте**		
	берёт	**беру́т**		
PAST	**брал**		**взял**	
	брала́		**взяла́**	
	бра́ло		**взя́ло**	
	бра́ли		**взя́ли**	
FUT.	**бу́ду брать**	**бу́дем брать**	**возьму́**	**возьмём**
	бу́дешь брать	**бу́дете брать**	**возьмёшь**	**возьмёте**
	бу́дет брать	**бу́дут брать**	**возьмёт**	**возьму́т**
SUBJ.	**брал бы**		**взял бы**	
	брала́ бы		**взяла́ бы**	
	бра́ло бы		**взя́ло бы**	
	бра́ли бы		**взя́ли бы**	
IMP.	**бери́**		**возьми́**	
	бери́те		**возьми́те**	

PARTICIPLES

	IMPERFECTIVE ASPECT	PERFECTIVE ASPECT
PRES. ACT.	**беру́щий**	———
PRES. PASS.	———	———
PAST ACT.	**бра́вший**	**взя́вший**
PAST PASS.	———	**взя́тый (взят, взята́, взя́то)**
ADV. PART.	**беря́**	**взяв(-ши)**

SHAVE
SHAVE ONESELF

	IMPERFECTIVE ASPECT		PERFECTIVE ASPECT	
INF.	брить		побри́ть	
PRES.	бре́ю	бре́ем		
	бре́ешь	бре́ете	———	
	бре́ет	бре́ют		
PAST	брил		побри́л	
	бри́ла		побри́ла	
	бри́ло		побри́ло	
	бри́ли		побри́ли	
FUT.	бу́ду брить	бу́дем брить	побре́ю	побре́ем
	бу́дешь брить	бу́дете брить	побре́ешь	побре́ете
	бу́дет брить	бу́дут брить	побре́ет	побре́ют
SUBJ.	брил бы		побри́л бы	
	бри́ла бы		побри́ла бы	
	бри́ло бы		побри́ло бы	
	бри́ли бы		побри́ли бы	
IMP.	брей		побре́й	
	бре́йте		побре́йте	

PARTICIPLES

PRES. ACT.	бре́ющий	———
PRES. PASS.	———	———
PAST ACT.	бри́вший	побри́вший
PAST PASS.	———	побри́тый
ADV. PART.	бре́я	побри́в(-ши)

БРОСАТЬ / БРОСИТЬ
БРОСАТЬСЯ / БРОСИТЬСЯ

THROW
RUSH

	IMPERFECTIVE ASPECT		PERFECTIVE ASPECT	
INF.	бросáть		брóсить	
PRES.	бросáю	бросáем	———	
	бросáешь	бросáете		
	бросáет	бросáют		
PAST	бросáл		брóсил	
	бросáла		брóсила	
	бросáло		брóсило	
	бросáли		брóсили	
FUT.	бýду бросáть	бýдем бросáть	брóшу	брóсим
	бýдешь бросáть	бýдете бросáть	брóсишь	брóсите
	бýдет бросáть	бýдут бросáть	брóсит	брóсят
SUBJ.	бросáл бы		брóсил бы	
	бросáла бы		брóсила бы	
	бросáло бы		брóсило бы	
	бросáли бы		брóсили бы	
IMP.	бросáй		брóсь	
	бросáйте		брóсьте	

PARTICIPLES

PRES. ACT.	бросáющий	———
PRES. PASS.	бросáемый	———
PAST ACT.	бросáвший	брóсивший
PAST PASS.	———	брóшенный
ADV. PART.	бросáя	брóсив(-ши)

WAKE

	IMPERFECTIVE ASPECT		PERFECTIVE ASPECT	
INF.	буди́ть		разбуди́ть	
PRES.	бужу́	бу́дим	—	
	бу́дишь	бу́дите		
	бу́дит	бу́дят		
PAST	буди́л		разбуди́л	
	буди́ла		разбуди́ла	
	буди́ло		разбуди́ло	
	буди́ли		разбуди́ли	
FUT.	бу́ду буди́ть	бу́дем буди́ть	разбужу́	разбу́дим
	бу́дешь буди́ть	бу́дете буди́ть	разбу́дишь	разбу́дите
	бу́дет буди́ть	бу́дут буди́ть	разбу́дит	разбу́дят
SUBJ.	буди́л бы		разбуди́л бы	
	буди́ла бы		разбуди́ла бы	
	буди́ло бы		разбуди́ло бы	
	буди́ли бы		разбуди́ли бы	
IMP.	буди́		разбуди́	
	буди́те		разбуди́те	

PARTICIPLES

PRES. ACT.	будя́щий	—
PRES. PASS.	буди́мый	—
PAST ACT.	буди́вший	разбуди́вший
PAST PASS.	—	разбу́женный
ADV. PART.	будя́	разбуди́в(-ши)

БЫТЬ

BE

	IMPERFECTIVE ASPECT		PERFECTIVE ASPECT
INF.	быть		
PRES.	———		
PAST	был	не́ был	
	была́	не была́	
	бы́ло	не́ было	
	бы́ли	не́ были	
FUT.	бу́ду	бу́дем	
	бу́дешь	бу́дете	
	бу́дет	бу́дут	
SUBJ.	был бы		
	была́ бы		
	бы́ло бы		
	бы́ли бы		
IMP.	будь		
	бу́дьте		

PARTICIPLES

PRES. ACT.	———
PRES. PASS.	———
PAST ACT.	бы́вший
PAST PASS.	———
ADV. PART.	бу́дучи

RUN IN

	IMPERFECTIVE ASPECT		PERFECTIVE ASPECT	
INF.	**вбега́ть**		**вбежа́ть**	
PRES.	**вбега́ю**	**вбега́ем**		
	вбега́ешь	**вбега́ете**	———	
	вбега́ет	**вбега́ют**		
PAST	**вбега́л**		**вбежа́л**	
	вбега́ла		**вбежа́ла**	
	вбега́ло		**вбежа́ло**	
	вбега́ли		**вбежа́ли**	
FUT.	**бу́ду вбега́ть**	**бу́дем вбега́ть**	**вбегу́**	**вбежи́м**
	бу́дешь вбега́ть	**бу́дете вбега́ть**	**вбежи́шь**	**вбежи́те**
	бу́дет вбега́ть	**бу́дут вбега́ть**	**вбежи́т**	**вбегу́т**
SUBJ.	**вбега́л бы**		**вбежа́л бы**	
	вбега́ла бы		**вбежа́ла бы**	
	вбега́ло бы		**вбежа́ло бы**	
	вбега́ли бы		**вбежа́ли бы**	
IMP.	**вбега́й**		**вбеги́**	
	вбега́йте		**вбеги́те**	

PARTICIPLES

PRES. ACT.	**вбега́ющий**	———
PRES. PASS.	———	———
PAST ACT.	**вбега́вший**	**вбежа́вший**
PAST PASS.	———	———
ADV. PART.	**вбега́я**	**вбежа́в(-ши)**

ВВОДИТЬ / ВВЕСТИ

LEAD IN, INTRODUCE

	IMPERFECTIVE ASPECT		PERFECTIVE ASPECT	
INF.	**вводи́ть**		**ввести́**	
PRES.	**ввожу́**	**вво́дим**		
	вво́дишь	**вво́дите**		
	вво́дит	**вво́дят**	———	
PAST	**вводи́л**		**ввёл**	
	вводи́ла		**ввела́**	
	вводи́ло		**ввело́**	
	вводи́ли		**ввели́**	
FUT.	**бу́ду вводи́ть**	**бу́дем вводи́ть**	**введу́**	**введём**
	бу́дешь вводи́ть	**бу́дете вводи́ть**	**введёшь**	**введёте**
	бу́дет вводи́ть	**бу́дут вводи́ть**	**введёт**	**введу́т**
SUBJ.	**вводи́л бы**		**ввёл бы**	
	вводи́ла бы		**ввела́ бы**	
	вводи́ло бы		**ввело́ бы**	
	вводи́ли бы		**ввели́ бы**	
IMP.	**вводи́**		**введи́**	
	вводи́те		**введи́те**	

PARTICIPLES

PRES. ACT.	**вводя́щий**	———
PRES. PASS.	**вводи́мый**	———
PAST ACT.	**вводи́вший**	**вве́дший**
PAST PASS.	———	**введённый (введён, введена́)**
ADV. PART.	**вводя́**	**вве́дши***

*Note in Compounds **привести́ - приведя́**
увести́ - уведя́

IMPORT

	IMPERFECTIVE ASPECT		PERFECTIVE ASPECT	
INF.	ввози́ть		ввезти́	
PRES.	ввожу́	вво́зим		
	вво́зишь	вво́зите	———	
	вво́зит	вво́зят		
PAST	ввози́л		ввёз	
	ввози́ла		ввезла́	
	ввози́ло		ввезло́	
	ввози́ли		ввезли́	
FUT.	бу́ду ввози́ть	бу́дем ввози́ть	ввезу́	ввезём
	бу́дешь ввози́ть	бу́дете ввози́ть	ввезёшь	ввезёте
	бу́дет ввози́ть	бу́дут ввози́ть	ввезёт	ввезу́т
SUBJ.	ввози́л бы		ввёз бы	
	ввози́ла бы		ввезла́ бы	
	ввози́ло бы		ввезло́ бы	
	ввози́ли бы		ввезли́ бы	
IMP.	ввози́		ввези́	
	ввози́те		ввези́те	

PARTICIPLES

PRES. ACT.	ввозя́щий	———
PRES. PASS.	ввози́мый	———
PAST ACT.	ввози́вший	ввёзший
PAST PASS.	———	ввезённый (ввезён, ввезена́)
ADV. PART.	ввозя́	ввёзши

ВЕРИТЬ/ПОВЕРИТЬ

BELIEVE

	IMPERFECTIVE ASPECT		PERFECTIVE ASPECT	
INF.	**ве́рить**		**пове́рить**	
PRES.	**ве́рю**	**ве́рим**		
	ве́ришь	**ве́рите**	———	
	ве́рит	**ве́рят**		
PAST	**ве́рил**		**пове́рил**	
	ве́рила		**пове́рила**	
	ве́рило		**пове́рило**	
	ве́рили		**пове́рили**	
FUT.	**бу́ду ве́рить**	**бу́дем ве́рить**	**пове́рю**	**пове́рим**
	бу́дешь ве́рить	**бу́дете ве́рить**	**пове́ришь**	**пове́рите**
	бу́дет ве́рить	**бу́дут ве́рить**	**пове́рит**	**пове́рят**
SUBJ.	**ве́рил бы**		**пове́рил бы**	
	ве́рила бы		**пове́рила бы**	
	ве́рило бы		**пове́рило бы**	
	ве́рили бы		**пове́рили бы**	
IMP.	**верь**		**пове́рь**	
	ве́рьте		**пове́рьте**	

PARTICIPLES

PRES. ACT.	**ве́рящий**	———
PRES. PASS.	———	———
PAST ACT.	**ве́ривший**	**пове́ривший**
PAST PASS.	———	———
ADV. PART.	**ве́ря**	**пове́рив(-ши)**

EXPLODE (TRANS.)

	IMPERFECTIVE ASPECT		PERFECTIVE ASPECT	
INF.	**взрыва́ть**		**взорва́ть**	
PRES.	**взрыва́ю**	**взрыва́ем**		
	взрыва́ешь	**взрыва́ете**	———	
	взрыва́ет	**взрыва́ют**		
PAST	**взрыва́л**		**взорва́л**	
	взрыва́ла		**взорвала́**	
	взрыва́ло		**взорва́ло**	
	взрыва́ли		**взорва́ли**	
FUT.	**бу́ду взрыва́ть**	**бу́дем взрыва́ть**	**взорву́**	**взорвём**
	бу́дешь взрыва́ть	**бу́дете взрыва́ть**	**взорвёшь**	**взорвёте**
	бу́дет взрыва́ть	**бу́дут взрыва́ть**	**взорвёт**	**взорву́т**
SUBJ.	**взрыва́л бы**		**взорва́л бы**	
	взрыва́ла бы		**взорвала́ бы**	
	взрыва́ло бы		**взорва́ло бы**	
	взрыва́ли бы		**взорва́ли бы**	
IMP.	**взрыва́й**		**взорви́**	
	взрыва́йте		**взорви́те**	

PARTICIPLES

PRES. ACT.	**взрыва́ющий**	———
PRES. PASS.	**взрыва́емый**	———
PAST ACT.	**взрыва́вший**	**взорва́вший**
PAST PASS.	———	**взо́рванный**
ADV. PART.	**взрыва́я**	**взорва́в(-ши)**

ВИДЕТЬ/УВИДЕТЬ

SEE/CATCH SIGHT OF

	IMPERFECTIVE ASPECT		PERFECTIVE ASPECT	
INF.	**ви́деть**		**уви́деть**	
PRES.	**ви́жу**	**ви́дим**		
	ви́дишь	**ви́дите**	———	
	ви́дит	**ви́дят**		
PAST	**ви́дел**		**уви́дел**	
	ви́дела		**уви́дела**	
	ви́дело		**уви́дело**	
	ви́дели		**уви́дели**	
FUT.	**бу́ду ви́деть**	**бу́дем ви́деть**	**уви́жу**	**уви́дим**
	бу́дешь ви́деть	**бу́дете ви́деть**	**уви́дишь**	**уви́дите**
	бу́дет ви́деть	**бу́дут ви́деть**	**уви́дит**	**уви́дят**
SUBJ.	**ви́дел бы**		**уви́дел бы**	
	ви́дела бы		**уви́дела бы**	
	ви́дело бы		**уви́дело бы**	
	ви́дели бы		**уви́дели бы**	
IMP.	———*		———	
	———		———	

PARTICIPLES

PRES. ACT.	**ви́дящий**	———
PRES. PASS.	**ви́димый**	———
PAST ACT.	**ви́девший**	**уви́девший**
PAST PASS.	**ви́денный**	**уви́денный**
ADV. PART.	**ви́дя**	**уви́дев(-ши)**

*Compounds have imperatives

BE HANGING

	IMPERFECTIVE ASPECT		PERFECTIVE ASPECT
INF.	**висе́ть**		
PRES.	**вишу́**	**виси́м**	
	виси́шь	**виси́те**	
	виси́т	**вися́т**	
PAST	**висе́л**		
	висе́ла		
	висе́ло		
	висе́ли		
FUT.	**бу́ду висе́ть**	**бу́дем висе́ть**	
	бу́дешь висе́ть	**бу́дете висе́ть**	
	бу́дет висе́ть	**бу́дут висе́ть**	
SUBJ.	**висе́л бы**		
	висе́ла бы		
	висе́ло бы		
	висе́ли бы		
IMP.	**виси́**		
	виси́те		

PARTICIPLES

PRES. ACT. **вися́щий**

PRES. PASS. ———

PAST ACT. **висе́вший**

PAST PASS. ———

ADV. PART. **вися́**

ВКЛЮЧАТЬ / ВКЛЮЧИТЬ

INCLUDE, SWITCH ON

	IMPERFECTIVE ASPECT		PERFECTIVE ASPECT	
INF.	**включа́ть**		**включи́ть**	
PRES.	**включа́ю**	**включа́ем**		
	включа́ешь	**включа́ете**	———	
	включа́ет	**включа́ют**		
PAST	**включа́л**		**включи́л**	
	включа́ла		**включи́ла**	
	включа́ло		**включи́ло**	
	включа́ли		**включи́ли**	
FUT.	**бу́ду включа́ть**	**бу́дем включа́ть**	**включу́**	**включи́м**
	бу́дешь включа́ть	**бу́дете включа́ть**	**включи́шь**	**включи́те**
	бу́дет включа́ть	**бу́дут включа́ть**	**включи́т**	**включа́т**
SUBJ.	**включа́л бы**		**включи́л бы**	
	включа́ла бы		**включи́ла бы**	
	включа́ло бы		**включи́ло бы**	
	включа́ли бы		**включи́ли бы**	
IMP.	**включа́й**		**включи́**	
	включа́йте		**включи́те**	

PARTICIPLES

PRES. ACT.	**включа́ющий**	———
PRES. PASS.	**включа́емый**	———
PAST ACT.	**включа́вший**	**включи́вший**
PAST PASS.	———	**включённый (включён, включена́)**
ADV. PART.	**включа́я**	**включи́в(-ши)**

FLY IN

	IMPERFECTIVE ASPECT		PERFECTIVE ASPECT	
INF.	**влета́ть**		**влете́ть**	
PRES.	**влета́ю**	**влета́ем**		
	влета́ешь	**влета́ете**	———	
	влета́ет	**влета́ют**		
PAST	**влета́л**		**влете́л**	
	влета́ла		**влете́ла**	
	влета́ло		**влете́ло**	
	влета́ли		**влете́ли**	
FUT.	**бу́ду влета́ть**	**бу́дем влета́ть**	**влечу́**	**влети́м**
	бу́дешь влета́ть	**бу́дете влета́ть**	**влети́шь**	**влети́те**
	бу́дет влета́ть	**бу́дут влета́ть**	**влети́т**	**влетя́т**
SUBJ.	**влета́л бы**		**влете́л бы**	
	влета́ла бы		**влете́ла бы**	
	влета́ло бы		**влете́ло бы**	
	влета́ли бы		**влете́ли бы**	
IMP.	**влета́й**		**влети́**	
	влета́йте		**влети́те**	

PARTICIPLES

PRES. ACT.	**влета́ющий**	———
PRES. PASS.	———	———
PAST ACT.	**влета́вший**	**влете́вший**
PAST PASS.	———	———
ADV. PART.	**влета́я**	**влете́в(-ши)**

ВНОСИТЬ / ВНЕСТИ

CARRY IN

	IMPERFECTIVE ASPECT		PERFECTIVE ASPECT	
INF.	вноси́ть		внести́	
PRES.	вношу́	вно́сим		
	вно́сишь	вно́сите	———	
	вно́сит	вно́сят		
PAST	вноси́л		внёс	
	вноси́ла		внесла́	
	вноси́ло		внесло́	
	вноси́ли		внесли́	
FUT.	бу́ду вноси́ть	бу́дем вноси́ть	внесу́	внесём
	бу́дешь вноси́ть	бу́дете вноси́ть	внесёшь	внесёте
	бу́дет вноси́ть	бу́дут вноси́ть	внесёт	внесу́т
SUBJ.	вноси́л бы		внёс бы	
	вноси́ла бы		внесла́ бы	
	вноси́ло бы		внесло́ бы	
	вноси́ли бы		внесли́ бы	
IMP.	вноси́		внеси́	
	вноси́те		внеси́те	

PARTICIPLES

PRES. ACT.	вня́щий	———
PRES. PASS.	вноси́мый	———
PAST ACT.	вноси́вший	внёсший
PAST PASS.	———	внесённый (внесён, внесена́)
ADV. PART.	внося́	внёсши

LEAD

Imperfective

	INDETERMINATE		DETERMINATE	
INF.	води́ть		вести́	
PRES.	вожу́	во́дим	веду́	ведём
	во́дишь	во́дите	ведёшь	ведёте
	во́дит	во́дят	ведёт	веду́т
PAST	води́л		вёл	
	води́ла		вела́	
	води́ло		вело́	
	води́ли		вели́	
FUT.	бу́ду води́ть	бу́дем води́ть	бу́ду вести́	бу́дем вести́
	бу́дешь води́ть	бу́дете води́ть	бу́дешь вести́	бу́дете вести́
	бу́дет води́ть	бу́дут води́ть	бу́дет вести́	бу́дут вести́
SUBJ.	води́л бы		вёл бы	
	води́ла бы		вела́ бы	
	води́ло бы		вело́ бы	
	води́ли бы		вели́ бы	
IMP.	води́		веди́	
	води́те		веди́те	

PARTICIPLES

PRES. ACT.	водя́щий	веду́щий
PRES. PASS.	води́мый	ведо́мый
PAST ACT.	води́вший	ве́дший
PAST PASS.	———	———
ADV. PART.	водя́	ведя́

ВОЗВРАЩАТЬ / ВОЗВРАТИТЬ
ВОЗВРАЩАТЬСЯ / ВОЗВРАТИТЬСЯ

RETURN, GIVE BACK
RETURN, GO BACK

	IMPERFECTIVE ASPECT		PERFECTIVE ASPECT	
INF.	**возвраща́ть**		**возврати́ть**	
PRES.	**возвраща́ю**	**возвраща́ем**		
	возвраща́ешь	**возвраща́ете**	———	
	возвраща́ет	**возвраща́ют**		
PAST	**возвраща́л**		**возврати́л**	
	возвраща́ла		**возврати́ла**	
	возвраща́ло		**возврати́ло**	
	возвраща́ли		**возврати́ли**	
FUT.	**бу́ду возвраща́ть**	**бу́дем возвраща́ть**	**возвращу́**	**возврати́м**
	бу́дешь возвраща́ть	**бу́дете возвраща́ть**	**возврати́шь**	**возврати́те**
	бу́дет возвраща́ть	**бу́дут возвраща́ть**	**возврати́т**	**возвратя́т**
SUBJ.	**возвраща́л бы**		**возврати́л бы**	
	возвраща́ла бы		**возврати́ла бы**	
	возвраща́ло бы		**возврати́ло бы**	
	возвраща́ли бы		**возврати́ли бы**	
IMP.	**возвраща́й**		**возврати́**	
	возвраща́йте		**возврати́те**	

PARTICIPLES

PRES. ACT.	**возвраща́ющий**	———
PRES. PASS.	**возвраща́емый**	———
PAST ACT.	**возвраща́вший**	**возврати́вший**
PAST PASS.	———	**возвращённый** (**возвращён, возвращена́**)
ADV. PART.	**возвраща́я**	**возврати́в(-ши)**

CARRY BY VEHICLE

IMPERFECTIVE

	INDETERMINATE		DETERMINATE	
INF.	вози́ть		везти́	
PRES.	вожу́	во́зим	везу́	везём
	во́зишь	во́зите	везёшь	везёте
	во́зит	во́зят	везёт	везу́т
PAST	вози́л		вёз	
	вози́ла		везла́	
	вози́ло		везло́	
	вози́ли		везли́	
FUT.	бу́ду вози́ть	бу́дем вози́ть	бу́ду везти́	бу́дем везти́
	бу́дешь вози́ть	бу́дете вози́ть	бу́дешь везти́	бу́дете везти́
	бу́дет вози́ть	бу́дут вози́ть	бу́дет везти́	бу́дут везти́
SUBJ.	вози́л бы		вёз бы	
	вози́ла бы		везла́ бы	
	вози́ло бы		везло́ бы	
	вози́ли бы		везли́ бы	
IMP.	вози́		вези́	
	вози́те		вези́те	

PARTICIPLES

PRES. ACT.	возя́щий	везу́щий
PRES. PASS.	вози́мый	———
PAST ACT.	вози́вший	вёзший
PAST PASS.	———	———
ADV. PART.	возя́	везя́

ВСТАВАТЬ / ВСТАТЬ

GET UP

	IMPERFECTIVE ASPECT		PERFECTIVE ASPECT	
INF.	вставáть		встать	
PRES.	встаю́	встаём		
	встаёшь	встаёте	———	
	встаёт	встаю́т		
PAST	вставáл		встал	
	вставáла		всталá	
	вставáло		встáло	
	вставáли		встáли	
FUT.	бу́ду вставáть	бу́дем вставáть	встáну	встáнем
	бу́дешь вставáть	бу́дете вставáть	встáнешь	встáнете
	бу́дет вставáть	бу́дут вставáть	встáнет	встáнут
SUBJ.	вставáл бы		встал бы	
	вставáла бы		всталá бы	
	вставáло бы		встáло бы	
	вставáли бы		встáли бы	
IMP.	вставáй		встань	
	вставáйте		встáньте	

PARTICIPLES

PRES. ACT.	встаю́щий		———
PRES. PASS.	———		———
PAST ACT.	вставáвший		встáвший
PAST PASS.	———		———
ADV. PART.	вставáя		встáв(-ши)

MEET

	IMPERFECTIVE ASPECT		PERFECTIVE ASPECT	
INF.	встреча́ть		встре́тить	
PRES.	встреча́ю	встреча́ем	———	
	встреча́ешь	встреча́ете		
	встреча́ет	встреча́ют		
PAST	встреча́л		встре́тил	
	встреча́ла		встре́тила	
	встреча́ло		встре́тило	
	встреча́ли		встре́тили	
FUT.	бу́ду встреча́ть	бу́дем встреча́ть	встре́чу	встре́тим
	бу́дешь встреча́ть	бу́дете встреча́ть	встре́тишь	встре́тите
	бу́дет встреча́ть	бу́дут встреча́ть	встре́тит	встре́тят
SUBJ.	встреча́л бы		встре́тил бы	
	встреча́ла бы		встре́тила бы	
	встреча́ло бы		встре́тило бы	
	встреча́ли бы		встре́тили бы	
IMP.	встреча́й		встре́ть	
	встреча́йте		встре́тьте	

PARTICIPLES

PRES. ACT.	встреча́ющий	———
PRES. PASS.	встреча́емый	———
PAST ACT.	встреча́вший	встре́тивший
PAST PASS.	———	встре́ченный
ADV. PART.	встреча́я	встре́тив(-ши)

WALK IN

	IMPERFECTIVE ASPECT		PERFECTIVE ASPECT	
INF.	входи́ть		войти́	
PRES.	вхожу́	вхо́дим		
	вхо́дишь	вхо́дите		
	вхо́дит	вхо́дят	———	
PAST	входи́л		вошёл	
	входи́ла		вошла́	
	входи́ло		вошло́	
	входи́ли		вошли́	
FUT.	бу́ду входи́ть	бу́дем входи́ть	войду́	войдём
	бу́дешь входи́ть	бу́дете входи́ть	войдёшь	войдёте
	бу́дет входи́ть	бу́дут входи́ть	войдёт	войду́т
SUBJ.	входи́л бы		вошёл бы	
	входи́ла бы		вошла́ бы	
	входи́ло бы		вошло́ бы	
	входи́ли бы		вошли́ бы	
IMP.	входи́		войди́	
	входи́те		войди́те	

PARTICIPLES

PRES. ACT.	входя́щий	———
PRES. PASS.	———*	———
PAST ACT.	входи́вший	воше́дший
PAST PASS.	———	———*
ADV. PART.	входя́	войдя́

*Transitive compounds have passive participles as follows:

	найти́ - на́йденный
обходи́ть - обходи́мый	обойти́ - обойдённый
переходи́ть - переходи́мый	перейти́ - перейдённый
проходи́ть - проходи́мый	пройти́ - про́йденный

DRIVE IN

	IMPERFECTIVE ASPECT		PERFECTIVE ASPECT	
INF.	**въезжáть**		**въéхать**	
PRES.	**въезжáю**	**въезжáем**		
	въезжáешь	**въезжáете**	———	
	въезжáет	**въезжáют**		
PAST	**въезжáл**		**въéхал**	
	въезжáла		**въéхала**	
	въезжáло		**въéхало**	
	въезжáли		**въéхали**	
FUT.	**бýду въезжáть**	**бýдем въезжáть**	**въéду**	**въéдем**
	бýдешь въезжáть	**бýдете въезжáть**	**въéдешь**	**въéдете**
	бýдет въезжáть	**бýдут въезжáть**	**въéдет**	**въéдут**
SUBJ.	**въезжáл бы**		**въéхал бы**	
	въезжáла бы		**въéхала бы**	
	въезжáло бы		**въéхало бы**	
	въезжáли бы		**въéхали бы**	
IMP.	**въезжáй**		———	
	въезжáйте		———	

PARTICIPLES

PRES. ACT.	**въезжáющий**	———
PRES. PASS.	———	———
PAST ACT.	**въезжáвший**	**въéхавший**
PAST PASS.	———	———
ADV. PART.	**въезжáя**	**въéхав(-ши)**

ВЫДЕРЖИВАТЬ / ВЫДЕРЖАТЬ

PASS (an exam)

	IMPERFECTIVE ASPECT		PERFECTIVE ASPECT	
INF.	**выде́рживать**		**вы́держать**	
PRES.	**выде́рживаю**	**выде́рживаем**		
	выде́рживаешь	**выде́рживаете**	———	
	выде́рживает	**выде́рживают**		
PAST	**выде́рживал**		**вы́держал**	
	выде́рживала		**вы́держала**	
	выде́рживало		**вы́держало**	
	выде́рживали		**вы́держали**	
FUT.	**бу́ду**	**бу́дем**	**вы́держу**	**вы́держим**
	бу́дешь	**бу́дете**	**вы́держишь**	**вы́держите**
	бу́дет	**бу́дут**	**вы́держит**	**вы́держат**
	выде́рживать	**выде́рживать**		
SUBJ.	**выде́рживал бы**		**вы́держал бы**	
	выде́рживала бы		**вы́держала бы**	
	выде́рживало бы		**вы́держало бы**	
	выде́рживали бы		**вы́держали бы**	
IMP.	**выде́рживай**		**вы́держи**	
	выде́рживайте		**вы́держите**	

PARTICIPLES

PRES. ACT.	**выде́рживающий**	———
PRES. PASS.	———	———
PAST ACT.	**выде́рживавший**	**вы́державший**
PAST PASS.	———	**вы́держанный**
ADV. PART.	**выде́рживая**	**вы́держав(-ши)**

ВЫИГРЫВАТЬ / ВЫИГРАТЬ

WIN

	IMPERFECTIVE ASPECT		PERFECTIVE ASPECT	
INF.	**выи́грывать**		**вы́играть**	
PRES.	**выи́грываю**	**выи́грываем**	———	
	выи́грываешь	**выи́грываете**		
	выи́грывает	**выи́грывают**		
PAST	**выи́грывал**		**вы́играл**	
	выи́грывала		**вы́играла**	
	выи́грывало		**вы́играло**	
	выи́грывали		**вы́играли**	
FUT.	**бу́ду выи́грывать**	**бу́дем выи́грывать**	**вы́играю**	**вы́играем**
	бу́дешь выи́грывать	**бу́дете выи́грывать**	**вы́играешь**	**вы́играете**
	бу́дет выи́грывать	**бу́дут выи́грывать**	**вы́играет**	**вы́играют**
SUBJ.	**выи́грывал бы**		**вы́играл бы**	
	выи́грывала бы		**вы́играла бы**	
	выи́грывало бы		**вы́играло бы**	
	выи́грывали бы		**вы́играли бы**	
IMP.	**выи́грывай**		**вы́играй**	
	выи́грывайте		**вы́играйте**	

PARTICIPLES

PRES. ACT.	**выи́грывающий**	———
PRES. PASS.	**выи́грываемый**	———
PAST ACT.	**выи́грывавший**	**вы́игравший**
PAST PASS.	———	**вы́игранный**
ADV. PART.	**выи́грывая**	**вы́играв(-ши)**

ВЫПОЛНЯТЬ / ВЫПОЛНИТЬ

FULFIL

	IMPERFECTIVE ASPECT		PERFECTIVE ASPECT	
INF.	**выполня́ть**		**вы́полнить**	
PRES.	**выполня́ю**	**выполня́ем**		
	выполня́ешь	**выполня́ете**	———	
	выполня́ет	**выполня́ют**		
PAST	**выполня́л**		**вы́полнил**	
	выполня́ла		**вы́полнила**	
	выполня́ло		**вы́полнило**	
	выполня́ли		**вы́полнили**	
FUT.	**бу́ду выполня́ть**	**бу́дем выполня́ть**	**вы́полню**	**вы́полним**
	бу́дешь выполня́ть	**бу́дете выполня́ть**	**вы́полнишь**	**вы́полните**
	бу́дет выполня́ть	**бу́дут выполня́ть**	**вы́полнит**	**вы́полнят**
SUBJ.	**выполня́л бы**		**вы́полнил бы**	
	выполня́ла бы		**вы́полнила бы**	
	выполня́ло бы		**вы́полнило бы**	
	выполня́ли бы		**вы́полнили бы**	
IMP.	**выполня́й**		**вы́полни**	
	выполня́йте		**вы́полните**	

PARTICIPLES

PRES. ACT.	**выполня́ющий**	———
PRES. PASS.	**выполня́емый**	———
PAST ACT.	**выполня́вший**	**вы́полнивший**
PAST PASS.	———	**вы́полненный**
ADV. PART.	**выполня́я**	**вы́полнив(-ши)**

EXPRESS

	IMPERFECTIVE ASPECT		PERFECTIVE ASPECT	
INF.	выражáть		вы́разить	
PRES.	выражáю	выражáем	———	
	выражáешь	выражáете		
	выражáет	выражáют		
PAST	выражáл		вы́разил	
	выражáла		вы́разила	
	выражáло		вы́разило	
	выражáли		вы́разили	
FUT.	бу́ду выражáть	бу́дем выражáть	вы́ражу	вы́разим
	бу́дешь выражáть	бу́дете выражáть	вы́разишь	вы́разите
	бу́дет выражáть	бу́дут выражáть	вы́разит	вы́разят
SUBJ.	выражáл бы		вы́разил бы	
	выражáла бы		вы́разила бы	
	выражáло бы		вы́разило бы	
	выражáли бы		вы́разили бы	
IMP.	выражáй		вы́рази	
	выражáйте		вы́разите	

PARTICIPLES

PRES. ACT.	выражáющий	———
PRES. PASS.	выражáемый	———
PAST ACT.	выражáвший	вы́разивший
PAST PASS.	———	вы́раженный
ADV. PART.	выражáя	вы́разив(-ши)

ВЫТЯГИВАТЬ/ВЫТЯНУТЬ

PULL OUT

	IMPERFECTIVE ASPECT		PERFECTIVE ASPECT	
INF.	вытя́гивать		вы́тянуть	
PRES.	вытя́гиваю	вытя́гиваем	———	
	вытя́гиваешь	вытя́гиваете		
	вытя́гивает	вытя́гивают		
PAST	вытя́гивал		вы́тянул	
	вытя́гивала		вы́тянула	
	вытя́гивало		вы́тянуло	
	вытя́гивали		вы́тянули	
FUT.	бу́ду вытя́гивать	бу́дем вытя́гивать	вы́тяну	вы́тянем
	бу́дешь вытя́гивать	бу́дете вытя́гивать	вы́тянешь	вы́тянете
	бу́дет вытя́гивать	бу́дут вытя́гивать	вы́тянет	вы́тянут
SUBJ.	вытя́гивал бы		вы́тянул бы	
	вытя́гивала бы		вы́тянула бы	
	вытя́гивало бы		вы́тянуло бы	
	вытя́гивали бы		вы́тянули бы	
IMP.	вытя́гивай		вы́тяни	
	вытя́гивайте		вы́тяните	

PARTICIPLES

PRES. ACT.	вытя́гивающий	———
PRES. PASS.	вытя́гиваемый	———
PAST ACT.	вытя́гивавший	вы́тянувший
PAST PASS.	———	вы́тянутый
ADV. PART.	вытя́гивая	вы́тянув(-ши)

TALK, SAY

	IMPERFECTIVE ASPECT		PERFECTIVE ASPECT	
INF.	**говори́ть**		**сказа́ть**	
PRES.	**говорю́**	**говори́м**		
	говори́шь	**говори́те**	———	
	говори́т	**говоря́т**		
PAST	**говори́л**		**сказа́л**	
	говори́ла		**сказа́ла**	
	говори́ло		**сказа́ло**	
	говори́ли		**сказа́ли**	
FUT.	**бу́ду говори́ть**	**бу́дем говори́ть**	**скажу́**	**ска́жем**
	бу́дешь говори́ть	**бу́дете говори́ть**	**ска́жешь**	**ска́жете**
	бу́дет говори́ть	**бу́дут говори́ть**	**ска́жет**	**ска́жут**
SUBJ.	**говори́л бы**		**сказа́л бы**	
	говори́ла бы		**сказа́ла бы**	
	говори́ло бы		**сказа́ло бы**	
	говори́ли бы		**сказа́ли бы**	
IMP.	**говори́**		**скажи́**	
	говори́те		**скажи́те**	

PARTICIPLES

PRES. ACT.	**говоря́щий**	———
PRES. PASS.	———	———
PAST ACT.	**говори́вший**	**сказа́вший**
PAST PASS.	———	**ска́занный**
ADV. PART.	**говоря́**	**сказа́в(-ши)**

ГОРЕТЬ / СГОРЕТЬ

BURN

	IMPERFECTIVE ASPECT		PERFECTIVE ASPECT	
INF.	горéть		сгорéть	
PRES.	горю́	гори́м		
	гори́шь	гори́те		
	гори́т	горя́т	———	
PAST	горéл		сгорéл	
	горéла		сгорéла	
	горéло		сгорéло	
	горéли		сгорéли	
FUT.	бу́ду горéть	бу́дем горéть	сгорю́	сгори́м
	бу́дешь горéть	бу́дете горéть	сгори́шь	сгори́те
	бу́дет горéть	бу́дут горéть	сгори́т	сгоря́т
SUBJ.	горéл бы		сгорéл бы	
	горéла бы		сгорéла бы	
	горéло бы		сгорéло бы	
	горéли бы		сгорéли бы	
IMP.	гори́		сгори́	
	гори́те		сгори́те	

PARTICIPLES

PRES. ACT.	горя́щий	———
PRES. PASS.	———	———
PAST ACT.	горéвший	сгорéвший
PAST PASS.	———	———
ADV. PART.	горя́	сгорéв(-ши)

PREPARE

	IMPERFECTIVE ASPECT		PERFECTIVE ASPECT	
INF.	гото́вить		пригото́вить	
PRES.	гото́влю	гото́вим		
	гото́вишь	гото́вите		
	гото́вит	гото́вят	———	
PAST	гото́вил		пригото́вил	
	гото́вила		пригото́вила	
	гото́вило		пригото́вило	
	гото́вили		пригото́вили	
FUT.	бу́ду гото́вить	бу́дем гото́вить	пригото́влю	пригото́вим
	бу́дешь гото́вить	бу́дете гото́вить	пригото́вишь	пригото́вите
	бу́дет гото́вить	бу́дут гото́вить	пригото́вит	пригото́вят
SUBJ.	гото́вил бы		пригото́вил бы	
	гото́вила бы		пригото́вила бы	
	гото́вило бы		пригото́вило бы	
	гото́вили бы		пригото́вили бы	
IMP.	гото́вь		пригото́вь	
	гото́вьте		пригото́вьте	

PARTICIPLES

PRES. ACT.	гото́вящий	———
PRES. PASS.	———	———
PAST ACT.	гото́вивший	пригото́вивший
PAST PASS.	———	пригото́вленный
ADV. PART.	гото́вя	пригото́вив(-ши)

ГУЛЯТЬ / ПОГУЛЯТЬ

TAKE A WALK

	IMPERFECTIVE ASPECT		PERFECTIVE ASPECT	
INF.	**гуля́ть**		**погуля́ть**	
PRES.	**гуля́ю**	**гуля́ем**		
	гуля́ешь	**гуля́ете**		
	гуля́ет	**гуля́ют**	———	
PAST	**гуля́л**		**погуля́л**	
	гуля́ла		**погуля́ла**	
	гуля́ло		**погуля́ло**	
	гуля́ли		**погуля́ли**	
FUT.	**бу́ду гуля́ть**	**бу́дем гуля́ть**	**погуля́ю**	**погуля́ем**
	бу́дешь гуля́ть	**бу́дете гуля́ть**	**погуля́ешь**	**погуля́ете**
	бу́дет гуля́ть	**бу́дут гуля́ть**	**погуля́ет**	**погуля́ют**
SUBJ.	**гуля́л бы**		**погуля́л бы**	
	гуля́ла бы		**погуля́ла бы**	
	гуля́ло бы		**погуля́ло бы**	
	гуля́ли бы		**погуля́ли бы**	
IMP.	**гуля́й**		**погуля́й**	
	гуля́йте		**погуля́йте**	

PARTICIPLES

PRES. ACT.	**гуля́ющий**	———
PRES. PASS.	———	———
PAST ACT.	**гуля́вший**	**погуля́вший**
PAST PASS.	———	———
ADV. PART.	**гуля́я**	**погуля́в(-ши)**

GIVE

	IMPERFECTIVE ASPECT		PERFECTIVE ASPECT	
INF.	дава́ть		дать	
PRES.	даю́	даём		
	даёшь	даёте	———	
	даёт	даю́т		
PAST	дава́л		дал*	
	дава́ла		дала́	
	дава́ло		да́ло	
	дава́ли		да́ли	
FUT.	бу́ду дава́ть	бу́дем дава́ть	дам	дади́м
	бу́дешь дава́ть	бу́дете дава́ть	дашь	дади́те
	бу́дет дава́ть	бу́дут дава́ть	даст	даду́т
SUBJ.	дава́л бы		дал бы*	
	дава́ла бы		дала́ бы	
	дава́ло бы		да́ло бы	
	дава́ли бы		да́ли бы	
IMP.	дава́й		дай	
	дава́йте		да́йте	

PARTICIPLES

PRES. ACT.	даю́щий	———
PRES. PASS.	дава́емый	———
PAST ACT.	дава́вший	да́вший
PAST PASS.	———	да́нный* (да́н, дана́)
ADV. PART.	дава́я	да́в(-ши)

*Compounds are stressed on the prefix in the past tense and past passive participle according to the following pattern

за́дал, задала́, за́дало, за́дали
за́данный; за́дан, задана́

ДВИГАТЬ / ДВИНУТЬ

MOVE

	IMPERFECTIVE ASPECT		PERFECTIVE ASPECT	
INF.	дви́гать		дви́нуть	
PRES.	дви́гаю	дви́гаем	———	
	дви́гаешь	дви́гаете		
	дви́гает	дви́гают		
PAST	дви́гал		дви́нул	
	дви́гала		дви́нула	
	дви́гало		дви́нуло	
	дви́гали		дви́нули	
FUT.	бу́ду дви́гать	бу́дем дви́гать	дви́ну	дви́нем
	бу́дешь дви́гать	бу́дете дви́гать	дви́нешь	дви́нете
	бу́дет дви́гать	бу́дут дви́гать	дви́нет	дви́нут
SUBJ.	дви́гал бы		дви́нул бы	
	дви́гала бы		дви́нула бы	
	дви́гало бы		дви́нуло бы	
	дви́гали бы		дви́нули бы	
IMP.	дви́гай		двинь	
	дви́гайте		дви́ньте	

PARTICIPLES

PRES. ACT.	дви́гающий	———
PRES. PASS.	———	———
PAST ACT.	дви́гавший	дви́нувший
PAST PASS.	———	дви́нутый
ADV. PART.	дви́гая	дви́нув(-ши)

DO / ACCOMPLISH

	IMPERFECTIVE ASPECT		PERFECTIVE ASPECT	
INF.	де́лать		сде́лать	
PRES.	де́лаю	де́лаем		
	де́лаешь	де́лаете	———	
	де́лает	де́лают		
PAST	де́лал		сде́лал	
	де́лала		сде́лала	
	де́лало		сде́лало	
	де́лали		сде́лали	
FUT.	бу́ду де́лать	бу́дем де́лать	сде́лаю	сде́лаем
	бу́дешь де́лать	бу́дете де́лать	сде́лаешь	сде́лаете
	бу́дет де́лать	бу́дут де́лать	сде́лает	сде́лают
SUBJ.	де́лал бы		сде́лал бы	
	де́лала бы		сде́лала бы	
	де́лало бы		сде́лало бы	
	де́лали бы		сде́лали бы	
IMP.	де́лай		сде́лай	
	де́лайте		сде́лайте	

PARTICIPLES

PRES. ACT.	де́лающий	———
PRES. PASS.	де́лаемый	———
PAST ACT.	де́лавший	сде́лавший
PAST PASS.	———	сде́ланный
ADV. PART.	де́лая	сде́лав(-ши)

ДЕРЖАТЬ / ПОДЕРЖАТЬ

HOLD

	IMPERFECTIVE ASPECT		PERFECTIVE ASPECT	
INF.	**держáть**		**подержáть**	
PRES.	**держý**	**дéржим**	———	
	дéржишь	**дéржите**		
	дéржит	**дéржат**		
PAST	**держáл**		**подержáл**	
	держáла		**подержáла**	
	держáло		**подержáло**	
	держáли		**подержáли**	
FUT.	**бýду держáть**	**бýдем держáть**	**подержý**	**подéржим**
	бýдешь держáть	**бýдете держáть**	**подéржишь**	**подéржите**
	бýдет держáть	**бýдут держáть**	**подéржит**	**подéржат**
SUBJ.	**держáл бы**		**подержáл бы**	
	держáла бы		**подержáла бы**	
	держáло бы		**подержáло бы**	
	держáли бы		**подержáли бы**	
IMP.	**держи́**		**подержи́**	
	держи́те		**подержи́те**	

PARTICIPLES

PRES. ACT.	**держáщий**	———
PRES. PASS.	———	———
PAST ACT.	**держáвший**	**подержáвший**
PAST PASS.	———	**подéржанный**
ADV. PART.	**держá**	**подержáв(-ши)**

SWIM UP TO

	IMPERFECTIVE ASPECT		PERFECTIVE ASPECT	
INF.	доплыва́ть		доплы́ть	
PRES.	доплыва́ю	доплыва́ем		
	доплыва́ешь	доплыва́ете	———	
	доплыва́ет	доплыва́ют		
PAST	доплыва́л		доплы́л	
	доплыва́ла		доплыла́	
	доплыва́ло		доплы́ло	
	доплыва́ли		доплы́ли	
FUT.	бу́ду доплыва́ть	бу́дем доплыва́ть	доплыву́	доплывём
	бу́дешь доплыва́ть	бу́дете доплыва́ть	доплывёшь	доплывёте
	бу́дет доплыва́ть	бу́дут доплыва́ть	доплывёт	доплыву́т
SUBJ.	доплыва́л бы		доплы́л бы	
	доплыва́ла бы		доплыла́ бы	
	доплыва́ло бы		доплы́ло бы	
	доплыва́ли бы		доплы́ли бы	
IMP.	доплыва́й		доплыви́	
	доплыва́йте		доплыви́те	

PARTICIPLES

PRES. ACT.	доплыва́ющий	———
PRES. PASS.	———	———
PAST ACT.	доплыва́вший	доплы́вший
PAST PASS.	———	———
ADV. PART.	доплыва́я	доплы́в(-ши)

ДУМАТЬ / ПОДУМАТЬ

THINK

	IMPERFECTIVE ASPECT		PERFECTIVE ASPECT	
INF.	ду́мать		поду́мать	
PRES.	ду́маю	ду́маем	———	
	ду́маешь	ду́маете		
	ду́мает	ду́мают		
PAST	ду́мал		поду́мал	
	ду́мала		поду́мала	
	ду́мало		поду́мало	
	ду́мали		поду́мали	
FUT.	бу́ду ду́мать	бу́дем ду́мать	поду́маю	поду́маем
	бу́дешь ду́мать	бу́дете ду́мать	поду́маешь	поду́маете
	бу́дет ду́мать	бу́дут ду́мать	поду́мает	поду́мают
SUBJ.	ду́мал бы		поду́мал бы	
	ду́мала бы		поду́мала бы	
	ду́мало бы		поду́мало бы	
	ду́мали бы		поду́мали бы	
IMP.	ду́май		поду́май	
	ду́майте		поду́майте	

PARTICIPLES

PRES. ACT.	ду́мающий	———
PRES. PASS.	———	———
PAST ACT.	ду́мавший	поду́мавший
PAST PASS.	———	———
ADV. PART.	ду́мая	поду́мав(-ши)

BLOW

	IMPERFECTIVE ASPECT		PERFECTIVE ASPECT	
INF.	дуть		поду́ть	
PRES.	ду́ю	ду́ем		
	ду́ешь	ду́ете		
	ду́ет	ду́ют	———	
PAST	дул		поду́л	
	ду́ла		поду́ла	
	ду́ло		поду́ло	
	ду́ли		поду́ли	
FUT.	бу́ду дуть	бу́дем дуть	поду́ю	поду́ем
	бу́дешь дуть	бу́дете дуть	поду́ешь	поду́ете
	бу́дет дуть	бу́дут дуть	поду́ет	поду́ют
SUBJ.	дул бы		поду́л бы	
	ду́ла бы		поду́ла бы	
	ду́ло бы		поду́ло бы	
	ду́ли бы		поду́ли бы	
IMP.	дуй		поду́й	
	ду́йте		поду́йте	

PARTICIPLES

PRES. ACT.	ду́ющий	———
PRES. PASS.	———	———
PAST ACT.	ду́вший	поду́вший
PAST PASS.	———	———
ADV. PART.	ду́я	поду́в(-ши)

ЕЗДИТЬ*ЕХАТЬ / ПОЕХАТЬ (ВЪЕХАТЬ)

RIDE

IMPERFECTIVE

	INDETERMINATE		DETERMINATE	
INF.	е́здить		е́хать	
PRES.	е́зжу	е́здим	е́ду	е́дем
	е́здишь	е́здите	е́дешь	е́дете
	е́здит	е́здят	е́дет	е́дут
PAST	е́здил		е́хал	
	е́здила		е́хала	
	е́здило		е́хало	
	е́здили		е́хали	
FUT.	бу́ду е́здить	бу́дем е́здить	бу́ду е́хать	бу́дем е́хать
	бу́дешь е́здить	бу́дете е́здить	бу́дешь е́хать	бу́дете е́хать
	бу́дет е́здить	бу́дут е́здить	бу́дет е́хать	бу́дут е́хать
SUBJ.	е́здил бы		е́хал бы	
	е́здила бы		е́хала бы	
	е́здило бы		е́хало бы	
	е́здили бы		е́хали бы	
IMP.	———		поезжа́й	
	———		поезжа́йте	

PARTICIPLES

PRES. ACT.	е́здящий	е́дущий
PRES. PASS.	———	———
PAST ACT.	е́здивший	е́хавший
PAST PASS.	———	———
ADV. PART.	е́здя	———

EAT / CONSUME

	IMPERFECTIVE ASPECT		PERFECTIVE ASPECT	
INF.	**есть**		**съесть**	
PRES.	**ем**	**еди́м**		
	ешь	**еди́те**		
	ест	**едя́т**	———	
PAST	**ел**		**съел**	
	е́ла		**съе́ла**	
	е́ло		**съе́ло**	
	е́ли		**съе́ли**	
FUT.	**бу́ду есть**	**бу́дем есть**	**съем**	**съеди́м**
	бу́дешь есть	**бу́дете есть**	**съешь**	**съеди́те**
	бу́дет есть	**бу́дут есть**	**съест**	**съедя́т**
SUBJ.	**ел бы**		**съел бы**	
	е́ла бы		**съе́ла бы**	
	е́ло бы		**съе́ло бы**	
	е́ли бы		**съе́ли бы**	
IMP.	**ешь**		**съешь**	
	е́шьте		**съе́шьте**	

PARTICIPLES

PRES. ACT.	**едя́щий**	———
PRES. PASS.	———	———
PAST ACT.	**е́вший**	**съе́вший**
PAST PASS.	———	**съе́денный**
ADV. PART.	———	**съе́в(-ши)**

ЖАЛОВАТЬСЯ / ПОЖАЛОВАТЬСЯ

COMPLAIN

	IMPERFECTIVE ASPECT		PERFECTIVE ASPECT	
INF.	**жáловаться**		**пожáловаться**	
PRES.	**жáлуюсь**	**жáлуемся**	———	
	жáлуешься	**жáлуетесь**		
	жáлуется	**жáлуются**		
PAST	**жáловался**		**пожáловался**	
	жáловалась		**пожáловалась**	
	жáловалось		**пожáловалось**	
	жáловались		**пожáловались**	
FUT.	**бýду жáловаться**	**бýдем жáловаться**	**пожáлуюсь**	**пожáлуемся**
	бýдешь жáловаться	**бýдете жáловаться**	**пожáлуешься**	**пожáлуетесь**
	бýдет жáловаться	**бýдут жáловаться**	**пожáлуется**	**пожáлуются**
SUBJ.	**жáловался бы**		**пожáловался бы**	
	жáловалась бы		**пожáловалась бы**	
	жáловалось бы		**пожáловалось бы**	
	жáловались бы		**пожáловались бы**	
IMP.	**жáлуйся**		**пожáлуйся**	
	жáлуйтесь		**пожáлуйтесь**	

PARTICIPLES

PRES. ACT.	**жáлующийся**	———
PRES. PASS.	———	———
PAST ACT.	**жáловавшийся**	**пожáловавшийся**
PAST PASS.	———	———
ADV. PART.	**жáлуясь**	**пожáловавшись**

PRESS

	IMPERFECTIVE ASPECT		PERFECTIVE ASPECT	
INF.	**жать**		**пожа́ть**	
PRES.	**жму**	**жмём**		
	жмёшь	**жмёте**	———	
	жмёт	**жмут**		
PAST	**жал**		**пожа́л**	
	жа́ла		**пожа́ла**	
	жа́ло		**пожа́ло**	
	жа́ли		**пожа́ли**	
FUT.	**бу́ду жать**	**бу́дем жать**	**пожму́**	**пожмём**
	бу́дешь жать	**бу́дете жать**	**пожмёшь**	**пожмёте**
	бу́дет жать	**бу́дут жать**	**пожмёт**	**пожму́т**
SUBJ.	**жал бы**		**пожа́л бы**	
	жа́ла бы		**пожа́ла бы**	
	жа́ло бы		**пожа́ло бы**	
	жа́ли бы		**пожа́ли бы**	
IMP.	**жми**		**пожми́**	
	жми́те		**пожми́те**	

PARTICIPLES

PRES. ACT.	**жму́щий**	———
PRES. PASS.	———	———
PAST ACT.	**жа́вший**	**пожа́вший**
PAST PASS.	———	**пожа́тый**
ADV. PART.	———	**пожа́в(-ши)**

ЖДАТЬ / ПОДОЖДАТЬ

WAIT

	IMPERFECTIVE ASPECT		PERFECTIVE ASPECT	
INF.	ждать		подожда́ть	
PRES.	жду	ждём	———	
	ждёшь	ждёте	———	
	ждёт	ждут		
PAST	ждал		подожда́л	
	ждала́		подождала́	
	жда́ло		подожда́ло	
	жда́ли		подожда́ли	
FUT.	бу́ду ждать	бу́дем ждать	подожду́	подождём
	бу́дешь ждать	бу́дете ждать	подождёшь	подождёте
	бу́дет ждать	бу́дут ждать	подождёт	подожду́т
SUBJ.	ждал бы		подожда́л бы	
	ждала́ бы		подождала́ бы	
	жда́ло бы		подожда́ло бы	
	жда́ли бы		подожда́ли бы	
IMP.	жди		подожди́	
	жди́те		подожди́те	

PARTICIPLES

PRES. ACT.	жду́щий	———
PRES. PASS.	———	———
PAST ACT.	жда́вший	подожда́вший
PAST PASS.	———	———
ADV. PART.	———	подожда́в(-ши)

WISH

	IMPERFECTIVE ASPECT		PERFECTIVE ASPECT	
INF.	жела́ть		пожела́ть	
PRES.	жела́ю	жела́ем	———	
	жела́ешь	жела́ете		
	жела́ет	жела́ют		
PAST	жела́л		пожела́л	
	жела́ла		пожела́ла	
	жела́ло		пожела́ло	
	жела́ли		пожела́ли	
FUT.	бу́ду жела́ть	бу́дем жела́ть	пожела́ю	пожела́ем
	бу́дешь жела́ть	бу́дете жела́ть	пожела́ешь	пожела́ете
	бу́дет жела́ть	бу́дут жела́ть	пожела́ет	пожела́ют
SUBJ.	жела́л бы		пожела́л бы	
	жела́ла бы		пожела́ла бы	
	жела́ло бы		пожела́ло бы	
	жела́ли бы		пожела́ли бы	
IMP.	жела́й		пожела́й	
	жела́йте		пожела́йте	

PARTICIPLES

PRES. ACT.	жела́ющий	———
PRES. PASS.	жела́емый	———
PAST ACT.	жела́вший	пожела́вший
PAST PASS.	———	———
ADV. PART.	жела́я	пожела́в(-ши)

ЖЕНИТЬСЯ

MARRY (said of a man)

	IMPERFECTIVE ASPECT	and	PERFECTIVE ASPECT	
INF.		жени́ться		
PRES.	женю́сь	же́нимся		
	же́нишься	же́нитесь	———	
	же́нится	же́нятся		
PAST		жени́лся		
		———		
		———		
		жени́лись		
FUT.	бу́ду жени́ться	бу́дем жени́ться	женю́сь	же́нимся
	бу́дешь жени́ться	бу́дете жени́ться	же́нишься	же́нитесь
	бу́дет жени́ться	бу́дут жени́ться	же́нится	же́нятся
SUBJ.		жени́лся бы		
		———		
		———		
		жени́лись бы		
IMP.		жени́сь		
		жени́тесь		

PARTICIPLES

PRES. ACT.	женя́щийся		———
PRES. PASS.	———		———
PAST ACT.		жени́вшийся	
PAST PASS.	———		———
ADV. PART.	женя́сь		жени́вшись

BURN

	IMPERFECTIVE ASPECT		PERFECTIVE ASPECT	
INF.	жечь		сжечь	
PRES.	жгу	жжём		
	жжёшь	жжёте	———	
	жжёт	жгут		
PAST	жёг		сжёг	
	жгла		сожгла́	
	жгло		сожгло́	
	жгли		сожгли́	
FUT.	бу́ду жечь	бу́дем жечь	сожгу́	сожжём
	бу́дешь жечь	бу́дете жечь	сожжёшь	сожжёте
	бу́дет жечь	бу́дут жечь	сожжёт	сожгу́т
SUBJ.	жёг бы		сжёг бы	
	жгла бы		сожгла́ бы	
	жгло бы		сожгло́ бы	
	жгли бы		сожгли́ бы	
IMP.	жги		сожги́	
	жги́те		сожги́те	

PARTICIPLES

PRES. ACT.	жгу́щий	———
PRES. PASS.	———	———
PAST ACT.	жёгший	сжёгший
PAST PASS.		сожжённый (сожжён, сожжена́)
ADV. PART.	———	сжёгши

жить

LIVE

	IMPERFECTIVE ASPECT		PERFECTIVE ASPECT
INF.	**жить**		
PRES.	**живу́**	**живём**	
	живёшь	**живёте**	
	живёт	**живу́т**	
PAST	**жил**	**нé жил**	
	жилá	**не жилá**	
	жи́ло	**нé жило**	
	жи́ли	**нé жили**	
FUT.	**бу́ду жить**	**бу́дем жить**	
	бу́дешь жить	**бу́дете жить**	
	бу́дет жить	**бу́дут жить**	
SUBJ.	**жил бы**		
	жилá бы		
	жи́ло бы		
	жи́ли бы		
IMP.	**живи́**		
	живи́те		

PARTICIPLES

PRES. ACT. **живу́щий**

PRES. PASS. ———

PAST ACT. **жи́вший**

PAST PASS. ———

ADV. PART. **живя́**

FORGET

	IMPERFECTIVE ASPECT		PERFECTIVE ASPECT	
INF.	забыва́ть		забы́ть	
PRES.	забыва́ю	забыва́ем		
	забыва́ешь	забыва́ете	———	
	забыва́ет	забыва́ют		
PAST	забыва́л		забы́л	
	забыва́ла		забы́ла	
	забыва́ло		забы́ло	
	забыва́ли		забы́ли	
FUT.	бу́ду забыва́ть	бу́дем забыва́ть	забу́ду	забу́дем
	бу́дешь забыва́ть	бу́дете забыва́ть	забу́дешь	забу́дете
	бу́дет забыва́ть	бу́дут забыва́ть	забу́дет	забу́дут
SUBJ.	забыва́л бы		забы́л бы	
	забыва́ла бы		забы́ла бы	
	забыва́ло бы		забы́ло бы	
	забыва́ли бы		забы́ли бы	
IMP.	забыва́й		забу́дь	
	забыва́йте		забу́дьте	

PARTICIPLES

PRES. ACT.	забыва́ющий	———
PRES. PASS.	забыва́емый	———
PAST ACT.	забыва́вший	забы́вший
PAST PASS.	———	забы́тый
ADV. PART.	забыва́я	забы́в(-ши)

ЗАВТРАКАТЬ/ПОЗАВТРАКАТЬ

HAVE BREAKFAST

	IMPERFECTIVE ASPECT		PERFECTIVE ASPECT	
INF.	**за́втракать**		**поза́втракать**	
PRES.	**за́втракаю**	**за́втракаем**	———	
	за́втракаешь	**за́втракаете**		
	за́втракает	**за́втракают**		
PAST	**за́втракал**		**поза́втракал**	
	за́втракала		**поза́втракала**	
	за́втракало		**поза́втракало**	
	за́втракали		**поза́втракали**	
FUT.	**бу́ду за́втракать**	**бу́дем за́втракать**	**поза́втракаю**	**поза́втракаем**
	бу́дешь за́втракать	**бу́дете за́втракать**	**поза́втракаешь**	**поза́втракаете**
	бу́дет за́втракать	**бу́дут за́втракать**	**поза́втракает**	**поза́втракают**
SUBJ.	**за́втракал бы**		**поза́втракал бы**	
	за́втракала бы		**поза́втракала бы**	
	за́втракало бы		**поза́втракало бы**	
	за́втракали бы		**поза́втракали бы**	
IMP.	**за́втракай**		**поза́втракай**	
	за́втракайте		**поза́втракайте**	

PARTICIPLES

PRES. ACT.	**за́втракающий**	———
PRES. PASS.	———	———
PAST ACT.	**за́втракавший**	**поза́втракавший**
PAST PASS.	———	———
ADV. PART.	**за́втракая**	**поза́втракав(-ши)**

ORDER

	IMPERFECTIVE ASPECT		PERFECTIVE ASPECT	
INF.	зака́зывать		заказа́ть	
PRES.	зака́зываю	зака́зываем		
	зака́зываешь	зака́зываете	———	
	зака́зывает	зака́зывают		
PAST	зака́зывал		заказа́л	
	зака́зывала		заказа́ла	
	зака́зывало		заказа́ло	
	зака́зывали		заказа́ли	
FUT.	бу́ду зака́зывать	бу́дем зака́зывать	закажу́	зака́жем
	бу́дешь зака́зывать	бу́дете зака́зывать	зака́жешь	зака́жете
	бу́дет зака́зывать	бу́дут зака́зывать	зака́жет	зака́жут
SUBJ.	зака́зывал бы		заказа́л бы	
	зака́зывала бы		заказа́ла бы	
	зака́зывало бы		заказа́ло бы	
	зака́зывали бы		заказа́ли бы	
IMP.	зака́зывай		закажи́	
	зака́зывайте		закажи́те	

PARTICIPLES

PRES. ACT.	зака́зывающий	———
PRES. PASS.	зака́зываемый	———
PAST ACT.	зака́зывавший	заказа́вший
PAST PASS.	———	зака́занный
ADV. PART.	зака́зывая	заказа́в(-ши)

CLOSE

	IMPERFECTIVE ASPECT		PERFECTIVE ASPECT	
INF.	закрыва́ть		закры́ть	
PRES.	закрыва́ю	закрыва́ем		
	закрыва́ешь	закрыва́ете	———	
	закрыва́ет	закрыва́ют		
PAST	закрыва́л		закры́л	
	закрыва́ла		закры́ла	
	закрыва́ло		закры́ло	
	закрыва́ли		закры́ли	
FUT.	бу́ду закрыва́ть	бу́дем закрыва́ть	закро́ю	закро́ем
	бу́дешь закрыва́ть	бу́дете закрыва́ть	закро́ешь	закро́ете
	бу́дет закрыва́ть	бу́дут закрыва́ть	закро́ет	закро́ют
SUBJ.	закрыва́л бы		закры́л бы	
	закрыва́ла бы		закры́ла бы	
	закрыва́ло бы		закры́ло бы	
	закрыва́ли бы		закры́ли бы	
IMP.	закрыва́й		закро́й	
	закрыва́йте		закро́йте	

PARTICIPLES

PRES. ACT.	закрыва́ющий	———
PRES. PASS.	закрыва́емый	———
PAST ACT.	закрыва́вший	закры́вший
PAST PASS.	———	закры́тый
ADV. PART.	закрыва́я	закры́в(-ши)

FREEZE

	IMPERFECTIVE ASPECT		PERFECTIVE ASPECT	
INF.	замерза́ть		замёрзнуть	
PRES.	замерза́ю	замерза́ем	———	
	замерза́ешь	замерза́ете		
	замерза́ет	замерза́ют		
PAST	замерза́л		замёрз	
	замерза́ла		замёрзла	
	замерза́ло		замёрзло	
	замерза́ли		замёрзли	
FUT.	бу́ду замерза́ть	бу́дем замерза́ть	замёрзну	замёрзнем
	бу́дешь замерза́ть	бу́дете замерза́ть	замёрзнешь	замёрзнете
	бу́дет замерза́ть	бу́дут замерза́ть	замёрзнет	замёрзнут
SUBJ.	замерза́л бы		замёрз бы	
	замерза́ла бы		замёрзла бы	
	замерза́ло бы		замёрзло бы	
	замерза́ли бы		замёрзли бы	
IMP.	замерза́й		замёрзни	
	замерза́йте		замёрзните	

PARTICIPLES

PRES. ACT.	замерза́ющий	———
PRES. PASS.	———	———
PAST ACT.	замерза́вший	замёрзший
PAST PASS.	———	———
ADV. PART.	замерза́я	замёрзши

ЗАМЕЧАТЬ / ЗАМЕТИТЬ

NOTICE

	IMPERFECTIVE ASPECT		PERFECTIVE ASPECT	
INF.	замечáть		замéтить	
PRES.	замечáю	замечáем		
	замечáешь	замечáете	———	
	замечáет	замечáют		
PAST	замечáл		замéтил	
	замечáла		замéтила	
	замечáло		замéтило	
	замечáли		замéтили	
FUT.	бýду замечáть	бýдем замечáть	замéчу	замéтим
	бýдешь замечáть	бýдете замечáть	замéтишь	замéтите
	бýдет замечáть	бýдут замечáть	замéтит	замéтят
SUBJ.	замечáл бы		замéтил бы	
	замечáла бы		замéтила бы	
	замечáло бы		замéтило бы	
	замечáли бы		замéтили бы	
IMP.	замечáй		замéть	
	замечáйте		замéтьте	

PARTICIPLES

PRES. ACT.	замечáющий	———
PRES. PASS.	замечáемый	———
PAST ACT.	замечáвший	замéтивший
PAST PASS.	———	замéченный
ADV. PART.	замечáя	замéтив(-ши)

OCCUPY
STUDY

	IMPERFECTIVE ASPECT		PERFECTIVE ASPECT	
INF.	**занима́ть**		**заня́ть**	
PRES.	**занима́ю**	**занима́ем**		
	занима́ешь	**занима́ете**	———	
	занима́ет	**занима́ют**		
PAST	**занима́л**		**за́нял**	
	занима́ла		**заняла́**	
	занима́ло		**за́няло**	
	занима́ли		**за́няли**	
FUT.	**бу́ду занима́ть**	**бу́дем занима́ть**	**займу́***	**займём**
	бу́дешь занима́ть	**бу́дете занима́ть**	**займёшь**	**займёте**
	бу́дет занима́ть	**бу́дут занима́ть**	**займёт**	**займу́т**
SUBJ.	**занима́л бы**		**за́нял бы**	
	занима́ла бы		**заняла́ бы**	
	занима́ло бы		**за́няло бы**	
	занима́ли бы		**за́няли бы**	
IMP.	**занима́й**		**займи́**	
	занима́йте		**займи́те**	

PARTICIPLES

PRES. ACT.	**занима́ющий**	———
PRES. PASS.	**занима́емый**	———
PAST ACT.	**занима́вший**	**заня́вший**
PAST PASS.	———	**за́нятый (за́нят, занята́, за́нято)**
ADV. PART.	**занима́я**	**заня́в(-ши)**

*Compounds **подня́ть, приня́ть, снять**
have perfective future stress as follows
подниму́, подни́мешь, подни́мут
приму́, при́мешь, при́мут
сниму́, сни́мешь, сни́мут

ЗАПИСЫВАТЬ/ЗАПИСАТЬ

NOTE DOWN

	IMPERFECTIVE ASPECT		PERFECTIVE ASPECT	
INF.	запи́сывать		записа́ть	
PRES.	запи́сываю	запи́сываем		
	запи́сываешь	запи́сываете	———	
	запи́сывает	запи́сывают		
PAST	запи́сывал		записа́л	
	запи́сывала		записа́ла	
	запи́сывало		записа́ло	
	запи́сывали		записа́ли	
FUT.	бу́ду запи́сывать	бу́дем запи́сывать	запишу́	запи́шем
	бу́дешь запи́сывать	бу́дете запи́сывать	запи́шешь	запи́шете
	бу́дет запи́сывать	бу́дут запи́сывать	запи́шет	запи́шут
SUBJ.	запи́сывал бы		записа́л бы	
	запи́сывала бы		записа́ла бы	
	запи́сывало бы		записа́ло бы	
	запи́сывали бы		записа́ли бы	
IMP.	запи́сывай		запиши́	
	запи́сывайте		запиши́те	

PARTICIPLES

PRES. ACT.	запи́сывающий	———
PRES. PASS.	запи́сываемый	———
PAST ACT.	запи́сывавший	записа́вший
PAST PASS.	———	запи́санный
ADV. PART.	запи́сывая	записа́в(-ши)

MEMORIZE

	IMPERFECTIVE ASPECT		PERFECTIVE ASPECT	
INF.	**запомина́ть**		**запо́мнить**	
PRES.	**запомина́ю**	**запомина́ем**		
	запомина́ешь	**запомина́ете**	———	
	запомина́ет	**запомина́ют**		
PAST	**запомина́л**		**запо́мнил**	
	запомина́ла		**запо́мнила**	
	запомина́ло		**запо́мнило**	
	запомина́ли		**запо́мнили**	
FUT.	**бу́ду запомина́ть**	**бу́дем запомина́ть**	**запо́мню**	**запо́мним**
	бу́дешь запомина́ть	**бу́дете запомина́ть**	**запо́мнишь**	**запо́мните**
	бу́дет запомина́ть	**бу́дут запомина́ть**	**запо́мнит**	**запо́мнят**
SUBJ.	**запомина́л бы**		**запо́мнил бы**	
	запомина́ла бы		**запо́мнила бы**	
	запомина́ло бы		**запо́мнило бы**	
	запомина́ли бы		**запо́мнили бы**	
IMP.	**запомина́й**		**запо́мни**	
	запомина́йте		**запо́мните**	

PARTICIPLES

PRES. ACT.	**запомина́ющий**	———
PRES. PASS.	**запомина́емый**	———
PAST ACT.	**запомина́вший**	**запо́мнивший**
PAST PASS.	———	———
ADV. PART.	**запомина́я**	**запо́мнив(-ши)**

ЗАРАБАТЫВАТЬ / ЗАРАБОТАТЬ

EARN

	IMPERFECTIVE ASPECT		PERFECTIVE ASPECT	
INF.	зараба́тывать		зарабо́тать	
PRES.	зараба́тываю	зараба́тываем		
	зараба́тываешь	зараба́тываете	———	
	зараба́тывает	зараба́тывают		
PAST	зараба́тывал		зарабо́тал	
	зараба́тывала		зарабо́тала	
	зараба́тывало		зарабо́тало	
	зараба́тывали		зарабо́тали	
FUT.	бу́ду	бу́дем	зарабо́таю	зарабо́таем
	бу́дешь	бу́дете	зарабо́таешь	зарабо́таете
	бу́дет	бу́дут	зарабо́тает	зарабо́тают
	зараба́тывать	зараба́тывать		
SUBJ.	зараба́тывал бы		зарабо́тал бы	
	зараба́тывала бы		зарабо́тала бы	
	зараба́тывало бы		зарабо́тало бы	
	зараба́тывали бы		зарабо́тали бы	
IMP.	зараба́тывай		зарабо́тай	
	зараба́тывайте		зарабо́тайте	

PARTICIPLES

PRES. ACT.	зараба́тывающий	———
PRES. PASS.	зараба́тываемый	———
PAST ACT.	зараба́тывавший	зарабо́тавший
PAST PASS.	———	зарабо́танный
ADV. PART.	зараба́тывая	зарабо́тав(-ши)

CROSS OUT

	IMPERFECTIVE ASPECT		PERFECTIVE ASPECT	
INF.	зачёркивать		зачеркну́ть	
PRES.	зачёркиваю	зачёркиваем		
	зачёркиваешь	зачёркиваете	———	
	зачёркивает	зачёркивают		
PAST	зачёркивал		зачеркну́л	
	зачёркивала		зачеркну́ла	
	зачёркивало		зачеркну́ло	
	зачёркивали		зачеркну́ли	
FUT.	бу́ду зачёркивать	бу́дем зачёркивать	зачеркну́	зачеркнём
	бу́дешь зачёркивать	бу́дете зачёркивать	зачеркнёшь	зачеркнёте
	бу́дет зачёркивать	бу́дут зачёркивать	зачеркнёт	зачеркну́т
SUBJ.	зачёркивал бы		зачеркну́л бы	
	зачёркивала бы		зачеркну́ла бы	
	зачёркивало бы		зачеркну́ло бы	
	зачёркивали бы		зачеркну́ли бы	
IMP.	зачёркивай		зачеркни́	
	зачёркивайте		зачеркни́те	

PARTICIPLES

PRES. ACT.	зачёркивающий	———
PRES. PASS.	зачёркиваемый	———
PAST ACT.	зачёркивавший	зачеркну́вший
PAST PASS.	———	зачёркнутый
ADV. PART.	зачёркивая	зачеркну́в(-ши)

CALL, NAME

	IMPERFECTIVE ASPECT		PERFECTIVE ASPECT	
INF.	звать		позва́ть	
PRES.	зову́	зовём	———	
	зовёшь	зовёте		
	зовёт	зову́т		
PAST	звал		позва́л	
	звала́		позвала́	
	зва́ло		позва́ло	
	зва́ли		позва́ли	
FUT.	бу́ду звать	бу́дем звать	позову́	позовём
	бу́дешь звать	бу́дете звать	позовёшь	позовёте
	бу́дет звать	бу́дут звать	позовёт	позову́т
SUBJ.	звал бы		позва́л бы	
	звала́ бы		позвала́ бы	
	зва́ло бы		позва́ло бы	
	зва́ли бы		позва́ли бы	
IMP.	зови́		позови́	
	зови́те		позови́те	

PARTICIPLES

PRES. ACT.	зову́щий	———
PRES. PASS.	———	———
PAST ACT.	зва́вший	позва́вший
PAST PASS.	———	по́званный
ADV. PART.	———	позва́в(-ши)

RING

	IMPERFECTIVE ASPECT		PERFECTIVE ASPECT	
INF.	звони́ть		позвони́ть	
PRES.	звоню́	звони́м		
	звони́шь	звони́те		
	звони́т	звоня́т	———	
PAST	звони́л		позвони́л	
	звони́ла		позвони́ла	
	звони́ло		позвони́ло	
	звони́ли		позвони́ли	
FUT.	бу́ду звони́ть	бу́дем звони́ть	позвоню́	позвони́м
	бу́дешь звони́ть	бу́дете звони́ть	позвони́шь	позвони́те
	бу́дет звони́ть	бу́дут звони́ть	позвони́т	позвоня́т
SUBJ.	звони́л бы		позвони́л бы	
	звони́ла бы		позвони́ла бы	
	звони́ло бы		позвони́ло бы	
	звони́ли бы		позвони́ли бы	
IMP.	звони́		позвони́	
	звони́те		позвони́те	

PARTICIPLES

PRES. ACT.	звоня́щий	———
PRES. PASS.	———	———
PAST ACT.	звони́вший	позвони́вший
PAST PASS.	———	———
ADV. PART.	звоня́	позвони́в(-ши)

ЗНАКОМИТЬ / ПОЗНАКОМИТЬ
ЗНАКОМИТЬСЯ / ПОЗНАКОМИТЬСЯ

ACQUAINT
GET ACQUAINTED

	IMPERFECTIVE ASPECT		PERFECTIVE ASPECT	
INF.	**знакóмить**		**познакóмить**	
PRES.	**знакóмлю**	**знакóмим**		
	знакóмишь	**знакóмите**	———	
	знакóмит	**знакóмят**		
PAST	**знакóмил**		**познакóмил**	
	знакóмила		**познакóмила**	
	знакóмило		**познакóмило**	
	знакóмили		**познакóмили**	
FUT.	**бýду знакóмить**	**бýдем знакóмить**	**познакóмлю**	**познакóмим**
	бýдешь знакóмить	**бýдете знакóмить**	**познакóмишь**	**познакóмите**
	бýдет знакóмить	**бýдут знакóмить**	**познакóмит**	**познакóмят**
SUBJ.	**знакóмил бы**		**познакóмил бы**	
	знакóмила бы		**познакóмила бы**	
	знакóмило бы		**познакóмило бы**	
	знакóмили бы		**познакóмили бы**	
IMP.	**знакóмь**		**познакóмь**	
	знакóмьте		**познакóмьте**	

PARTICIPLES

PRES. ACT.	**знакóмящий**	———
PRES. PASS.	———	———
PAST ACT.	**знакóмивший**	**познакóмивший**
PAST PASS.	———	———
ADV. PART.	**знакóмя**	**познакóмив(-ши)**

KNOW

	IMPERFECTIVE ASPECT		PERFECTIVE ASPECT
INF.	знать		
PRES.	зна́ю	зна́ем	
	зна́ешь	зна́ете	
	зна́ет	зна́ют	
PAST	знал		
	зна́ла		
	зна́ло		
	зна́ли		
FUT.	бу́ду знать	бу́дем знать	
	бу́дешь знать	бу́дете знать	
	бу́дет знать	бу́дут знать	
SUBJ.	знал бы		
	зна́ла бы		
	зна́ло бы		
	зна́ли бы		
IMP.	знай		
	зна́йте		

PARTICIPLES

PRES. ACT.	зна́ющий
PRES. PASS.	зна́емый
PAST ACT.	зна́вший
PAST PASS.	———
ADV. PART.	зна́я

ИГРАТЬ / СЫГРАТЬ

PLAY

	IMPERFECTIVE ASPECT		PERFECTIVE ASPECT	
INF.	**игра́ть**		**сыгра́ть**	
PRES.	**игра́ю**	**игра́ем**		
	игра́ешь	**игра́ете**	———	
	игра́ет	**игра́ют**		
PAST	**игра́л**		**сыгра́л**	
	игра́ла		**сыгра́ла**	
	игра́ло		**сыгра́ло**	
	игра́ли		**сыгра́ли**	
FUT.	**бу́ду игра́ть**	**бу́дем игра́ть**	**сыгра́ю**	**сыгра́ем**
	бу́дешь игра́ть	**бу́дете игра́ть**	**сыгра́ешь**	**сыгра́ете**
	бу́дет игра́ть	**бу́дут игра́ть**	**сыгра́ет**	**сыгра́ют**
SUBJ.	**игра́л бы**		**сыгра́л бы**	
	игра́ла бы		**сыгра́ла бы**	
	игра́ло бы		**сыгра́ло бы**	
	игра́ли бы		**сыгра́ли бы**	
IMP.	**игра́й**		**сыгра́й**	
	игра́йте		**сыгра́йте**	

PARTICIPLES

PRES. ACT.	**игра́ющий**	———
PRES. PASS.	**игра́емый**	———
PAST ACT.	**игра́вший**	**сыгра́вший**
PAST PASS.	———	**сы́гранный**
ADV. PART.	**игра́я**	**сыгра́в(-ши)**

CHOOSE

	IMPERFECTIVE ASPECT		PERFECTIVE ASPECT	
INF.	**избира́ть**		**избра́ть**	
PRES.	**избира́ю**	**избира́ем**	———	
	избира́ешь	**избира́ете**		
	избира́ет	**избира́ют**		
PAST	**избира́л**		**избра́л**	
	избира́ла		**избрала́**	
	избира́ло		**избра́ло**	
	избира́ли		**избра́ли**	
FUT.	**бу́ду избира́ть**	**бу́дем избира́ть**	**изберу́**	**изберём**
	бу́дешь избира́ть	**бу́дете избира́ть**	**изберёшь**	**изберёте**
	бу́дет избира́ть	**бу́дут избира́ть**	**изберёт**	**изберу́т**
SUBJ.	**избира́л бы**		**избра́л бы**	
	избира́ла бы		**избрала́ бы**	
	избира́ло бы		**избра́ло бы**	
	избира́ли бы		**избра́ли бы**	
IMP.	**избира́й**		**избери́**	
	избира́йте		**избери́те**	

PARTICIPLES

PRES. ACT.	**избира́ющий**	———
PRES. PASS.	**избира́емый**	———
PAST ACT.	**избира́вший**	**избра́вший**
PAST PASS.	———	**и́збранный**
ADV. PART.	**избира́я**	**избра́в(-ши)**

ИЗВИНЯТЬ / ИЗВИНИТЬ

EXCUSE

	IMPERFECTIVE ASPECT		PERFECTIVE ASPECT	
INF.	**извиня́ть**		**извини́ть**	
PRES.	**извиня́ю**	**извиня́ем**	———	
	извиня́ешь	**извиня́ете**		
	извиня́ет	**извиня́ют**		
PAST	**извиня́л**		**извини́л**	
	извиня́ла		**извини́ла**	
	извиня́ло		**извини́ло**	
	извиня́ли		**извини́ли**	
FUT.	**бу́ду извиня́ть**	**бу́дем извиня́ть**	**извиню́**	**извини́м**
	бу́дешь извиня́ть	**бу́дете извиня́ть**	**извини́шь**	**извини́те**
	бу́дет извиня́ть	**бу́дут извиня́ть**	**извини́т**	**извиня́т**
SUBJ.	**извиня́л бы**		**извини́л бы**	
	извиня́ла бы		**извини́ла бы**	
	извиня́ло бы		**извини́ло бы**	
	извиня́ли бы		**извини́ли бы**	
IMP.	**извиня́й**		**извини́**	
	извиня́йте		**извини́те**	

PARTICIPLES

PRES. ACT.	**извиня́ющий**	———
PRES. PASS.	**извиня́емый**	———
PAST ACT.	**извиня́вший**	**извини́вший**
PAST PASS.	———	**извинённый (извинён, извинена́)**
ADV. PART.	**извиня́я**	**извини́в(-ши)**

ИЗМЕНЯТЬ / ИЗМЕНИТЬ
ИЗМЕНЯТЬСЯ / ИЗМЕНИТЬСЯ

CHANGE
BECOME CHANGED

	IMPERFECTIVE ASPECT		PERFECTIVE ASPECT	
INF.	изменя́ть		измени́ть	
PRES.	изменя́ю	изменя́ем	———	
	изменя́ешь	изменя́ете		
	изменя́ет	изменя́ют		
PAST	изменя́л		измени́л	
	изменя́ла		измени́ла	
	изменя́ло		измени́ло	
	изменя́ли		измени́ли	
FUT.	бу́ду изменя́ть	бу́дем изменя́ть	изменю́	изме́ним
	бу́дешь изменя́ть	бу́дете изменя́ть	изме́нишь	изме́ните
	бу́дет изменя́ть	бу́дут изменя́ть	изме́нит	изме́нят
SUBJ.	изменя́л бы		измени́л бы	
	изменя́ла бы		измени́ла бы	
	изменя́ло бы		измени́ло бы	
	изменя́ли бы		измени́ли бы	
IMP.	изменя́й		измени́	
	изменя́йте		измени́те	

PARTICIPLES

PRES. ACT.	изменя́ющий	———
PRES. PASS.	изменя́емый	———
PAST ACT.	изменя́вший	измени́вший
PAST PASS.	———	изменённый (изменён, изменена́)
ADV. PART.	изменя́я	измени́в(-ши)

ИЗОБРЕТАТЬ / ИЗОБРЕСТИ

INVENT

	IMPERFECTIVE ASPECT		PERFECTIVE ASPECT	
INF.	**изобрета́ть**		**изобрести́**	
PRES.	**изобрета́ю**	**изобрета́ем**		
	изобрета́ешь	**изобрета́ете**	———	
	изобрета́ет	**изобрета́ют**		
PAST	**изобрета́л**		**изобрёл**	
	изобрета́ла		**изобрела́**	
	изобрета́ло		**изобрело́**	
	изобрета́ли		**изобрели́**	
FUT.	**бу́ду изобрета́ть**	**бу́дем изобрета́ть**	**изобрету́**	**изобретём**
	бу́дешь изобрета́ть	**бу́дете изобрета́ть**	**изобретёшь**	**изобретёте**
	бу́дет изобрета́ть	**бу́дут изобрета́ть**	**изобретёт**	**изобрету́т**
SUBJ.	**изобрета́л бы**		**изобрёл бы**	
	изобрета́ла бы		**изобрела́ бы**	
	изобрета́ло бы		**изобрело́ бы**	
	изобрета́ли бы		**изобрели́ бы**	
IMP.	**изобрета́й**		**изобрети́**	
	изобрета́йте		**изобрети́те**	

PARTICIPLES

PRES. ACT.	**изобрета́ющий**	———
PRES. PASS.	**изобрета́емый**	———
PAST ACT.	**изобрета́вший**	**изобре́тший**
PAST PASS.	———	**изобретённый (изобретён, изобретена́)**
ADV. PART.	**изобрета́я**	**изобретя́**

STUDY, LEARN

	IMPERFECTIVE ASPECT		PERFECTIVE ASPECT	
INF.	**изуча́ть**		**изучи́ть**	
PRES.	**изуча́ю**	**изуча́ем**		
	изуча́ешь	**изуча́ете**	———	
	изуча́ет	**изуча́ют**		
PAST	**изуча́л**		**изучи́л**	
	изуча́ла		**изучи́ла**	
	изуча́ло		**изучи́ло**	
	изуча́ли		**изучи́ли**	
FUT.	**бу́ду изуча́ть**	**бу́дем изуча́ть**	**изучу́**	**изу́чим**
	бу́дешь изуча́ть	**бу́дете изуча́ть**	**изу́чишь**	**изу́чите**
	бу́дет изуча́ть	**бу́дут изуча́ть**	**изу́чит**	**изу́чат**
SUBJ.	**изуча́л бы**		**изучи́л бы**	
	изуча́ла бы		**изучи́ла бы**	
	изуча́ло бы		**изучи́ло бы**	
	изуча́ли бы		**изучи́ли бы**	
IMP.	**изуча́й**		**изучи́**	
	изуча́йте		**изучи́те**	

PARTICIPLES

PRES. ACT.	**изуча́ющий**	———
PRES. PASS.	**изуча́емый**	———
PAST ACT.	**изуча́вший**	**изучи́вший**
PAST PASS.	———	**изу́ченный**
ADV. PART.	**изуча́я**	**изучи́в(-ши)**

ИМЕТЬ

HAVE

	IMPERFECTIVE ASPECT		PERFECTIVE ASPECT
INF.	**име́ть**		
PRES.	**име́ю**	**име́ем**	
	име́ешь	**име́ете**	
	име́ет	**име́ют**	———
PAST	**име́л**		
	име́ла		
	име́ло		
	име́ли		
FUT.	**бу́ду име́ть**	**бу́дем име́ть**	
	бу́дешь име́ть	**бу́дете име́ть**	
	бу́дет име́ть	**бу́дут име́ть**	
SUBJ.	**име́л бы**		
	име́ла бы		
	име́ло бы		
	име́ли бы		
IMP.	**име́й**		
	име́йте		

PARTICIPLES

PRES. ACT. **име́ющий**

PRES. PASS. **име́емый**

PAST ACT. **име́вший**

PAST PASS. ———

ADV. PART. **име́я**

ИНТЕРЕСОВАТЬ / ЗАИНТЕРЕСОВАТЬ
ИНТЕРЕСОВАТЬСЯ / ЗАИНТЕРЕСОВАТЬСЯ

INTEREST
BE INTERESTED

	IMPERFECTIVE ASPECT		PERFECTIVE ASPECT	
INF.	**интересова́ть**		**заинтересова́ть**	
PRES.	**интересу́ю**	**интересу́ем**		
	интересу́ешь	**интересу́ете**	———	
	интересу́ет	**интересу́ют**		
PAST	**интересова́л**		**заинтересова́л**	
	интересова́ла		**заинтересова́ла**	
	интересова́ло		**заинтересова́ло**	
	интересова́ли		**заинтересова́ли**	
FUT.	**бу́ду**	**бу́дем**	**заинтересу́ю**	**заинтересу́ем**
	бу́дешь	**бу́дете**	**заинтересу́ешь**	**заинтересу́ете**
	бу́дет	**бу́дут**	**заинтересу́ет**	**заинтересу́ют**
	интересова́ть	**интересова́ть**		
SUBJ.	**интересова́л бы**		**заинтересова́л бы**	
	интересова́ла бы		**заинтересова́ла бы**	
	интересова́ло бы		**заинтересова́ло бы**	
	интересова́ли бы		**заинтересова́ли бы**	
IMP.	**интересу́й**		**заинтересу́й**	
	интересу́йте		**заинтересу́йте**	

PARTICIPLES

PRES. ACT.	**интересу́ющий**	———
PRES. PASS.	**интересу́емый**	———
PAST ACT.	**интересова́вший**	**заинтересова́вший**
PAST PASS.	———	**заинтересо́ванный**
ADV. PART.	**интересу́я**	**заинтересова́в(-ши)**

ИСКАТЬ / ПОИСКАТЬ

SEARCH FOR

	IMPERFECTIVE ASPECT		PERFECTIVE ASPECT	
INF.	иска́ть		поиска́ть	
PRES.	ищу́	и́щем		
	и́щешь	и́щете	———	
	и́щет	и́щут		
PAST	иска́л		поиска́л	
	иска́ла		поиска́ла	
	иска́ло		поиска́ло	
	иска́ли		поиска́ли	
FUT.	бу́ду иска́ть	бу́дем иска́ть	поищу́	пои́щем
	бу́дешь иска́ть	бу́дете иска́ть	пои́щешь	пои́щете
	бу́дет иска́ть	бу́дут иска́ть	пои́щет	пои́щут
SUBJ.	иска́л бы		поиска́л бы	
	иска́ла бы		поиска́ла бы	
	иска́ло бы		поиска́ло бы	
	иска́ли бы		поиска́ли бы	
IMP.	ищи́		поищи́	
	ищи́те		поищи́те	

PARTICIPLES

PRES. ACT.	и́щущий	———
PRES. PASS.	———	———
PAST ACT.	иска́вший	поиска́вший
PAST PASS.	———	———
ADV. PART.	ища́	поиска́в(-ши)

DISAPPEAR

	IMPERFECTIVE ASPECT		PERFECTIVE ASPECT	
INF.	**исчеза́ть**		**исчéзнуть**	
PRES.	**исчеза́ю**	**исчеза́ем**		
	исчеза́ешь	**исчеза́ете**	———	
	исчеза́ет	**исчеза́ют**		
PAST	**исчеза́л**		**исчéз**	
	исчеза́ла		**исчéзла**	
	исчеза́ло		**исчéзло**	
	исчеза́ли		**исчéзли**	
FUT.	**бýду исчеза́ть**	**бýдем исчеза́ть**	**исчéзну**	**исчéзнем**
	бýдешь исчеза́ть	**бýдете исчеза́ть**	**исчéзнешь**	**исчéзнете**
	бýдет исчеза́ть	**бýдут исчеза́ть**	**исчéзнет**	**исчéзнут**
SUBJ.	**исчеза́л бы**		**исчéз бы**	
	исчеза́ла бы		**исчéзла бы**	
	исчеза́ло бы		**исчéзло бы**	
	исчеза́ли бы		**исчéзли бы**	
IMP.	**исчеза́й**		**исчéзни**	
	исчеза́йте		**исчéзните**	

PARTICIPLES

PRES. ACT.	**исчеза́ющий**	———
PRES. PASS.	———	———
PAST ACT.	**исчеза́вший**	**исчéзнувший**
PAST PASS.	———	———
ADV. PART.	**исчеза́я**	**исчéзнув(-ши)**

КАЗАТЬСЯ / ПОКАЗАТЬСЯ

SEEM

	IMPERFECTIVE ASPECT		PERFECTIVE ASPECT	
INF.	каза́ться		показа́ться	
PRES.	кажу́сь	ка́жемся	———	
	ка́жешься	ка́жетесь		
	ка́жется	ка́жутся		
PAST	каза́лся		показа́лся	
	каза́лась		показа́лась	
	каза́лось		показа́лось	
	каза́лись		показа́лись	
FUT.	бу́ду каза́ться	бу́дем каза́ться	покажу́сь	пока́жемся
	бу́дешь каза́ться	бу́дете каза́ться	пока́жешься	пока́жетесь
	бу́дет каза́ться	бу́дут каза́ться	пока́жется	пока́жутся
SUBJ.	каза́лся бы		показа́лся бы	
	каза́лась бы		показа́лась бы	
	каза́лось бы		показа́лось бы	
	каза́лись бы		показа́лись бы	
IMP.	кажи́сь		покажи́сь	
	кажи́тесь		покажи́тесь	

PARTICIPLES

PRES. ACT.	ка́жущийся	———
PRES. PASS.	———	———
PAST ACT.	каза́вшийся	показа́вшийся
PAST PASS.	———	———
ADV. PART.	———	показа́вшись

TOUCH, CONCERN

	IMPERFECTIVE ASPECT		PERFECTIVE ASPECT	
INF.	каса́ться		косну́ться	
	каса́юсь	каса́емся		
	каса́ешься	каса́етесь	———	
	каса́ется	каса́ются		
PAST	каса́лся		косну́лся	
	каса́лась		косну́лась	
	каса́лось		косну́лось	
	каса́лись		косну́лись	
FUT.	бу́ду каса́ться	бу́дем каса́ться	косну́сь	коснёмся
	бу́дешь каса́ться	бу́дете каса́ться	коснёшься	коснётесь
	бу́дет каса́ться	бу́дут каса́ться	коснётся	косну́тся
SUBJ.	каса́лся бы		косну́лся бы	
	каса́лась бы		косну́лась бы	
	каса́лось бы		косну́лось бы	
	каса́лись бы		косну́лись бы	
IMP.	каса́йся		косни́сь	
	каса́йтесь		косни́тесь	

PARTICIPLES

PRES. ACT.	каса́ющийся	———
PRES. PASS.	———	———
PAST ACT.	каса́вшийся	косну́вшийся
PAST PASS.	———	———
ADV. PART.	каса́ясь	косну́вшись

КЛАСТЬ / ПОЛОЖИТЬ

PLACE (flat)

	IMPERFECTIVE ASPECT		PERFECTIVE ASPECT	
INF.	**класть**		**положи́ть**	
PRES.	**кладу́**	**кладём**	———	
	кладёшь	**кладёте**		
	кладёт	**кладу́т**		
PAST	**клал**		**положи́л**	
	кла́ла		**положи́ла**	
	кла́ло		**положи́ло**	
	кла́ли		**положи́ли**	
FUT.	**бу́ду класть**	**бу́дем класть**	**положу́**	**поло́жим**
	бу́дешь класть	**бу́дете класть**	**поло́жишь**	**поло́жите**
	бу́дет класть	**бу́дут класть**	**поло́жит**	**поло́жат**
SUBJ.	**клал бы**		**положи́л бы**	
	кла́ла бы		**положи́ла бы**	
	кла́ло бы		**положи́ло бы**	
	кла́ли бы		**положи́ли бы**	
IMP.	**клади́**		**положи́**	
	клади́те		**положи́те**	

PARTICIPLES

PRES. ACT.	**кладу́щий**	———
PRES. PASS.	———	———
PAST ACT.	**кла́вший**	**положи́вший**
PAST PASS.	———	**поло́женный**
ADV. PART.	**кладя́**	**положи́в(-ши)**

FINISH

	IMPERFECTIVE ASPECT		PERFECTIVE ASPECT	
INF.	кончáть		кóнчить	
PRES.	кончáю	кончáем		
	кончáешь	кончáете	———	
	кончáет	кончáют		
PAST	кончáл		кóнчил	
	кончáла		кóнчила	
	кончáло		кóнчило	
	кончáли		кóнчили	
FUT.	бýду кончáть	бýдем кончáть	кóнчу	кóнчим
	бýдешь кончáть	бýдете кончáть	кóнчишь	кóнчите
	бýдет кончáть	бýдут кончáть	кóнчит	кóнчат
SUBJ.	кончáл бы		кóнчил бы	
	кончáла бы		кóнчила бы	
	кончáло бы		кóнчило бы	
	кончáли бы		кóнчили бы	
IMP.	кончáй		кóнчи	
	кончáйте		кóнчите	

PARTICIPLES

PRES. ACT.	кончáющий	———
PRES. PASS.	кончáемый	———
PAST ACT.	кончáвший	кóнчивший
PAST PASS.	———	кóнченный
ADV. PART.	кончáя	кóнчив(-ши)

КРАСТЬ / УКРАСТЬ

STEAL

	IMPERFECTIVE ASPECT		PERFECTIVE ASPECT	
INF.	красть		укра́сть	
PRES.	краду́	крадём		
	крадёшь	крадёте	———	
	крадёт	краду́т		
PAST	крал		укра́л	
	кра́ла		укра́ла	
	кра́ло		укра́ло	
	кра́ли		укра́ли	
FUT.	бу́ду красть	бу́дем красть	украду́	украдём
	бу́дешь красть	бу́дете красть	украдёшь	украдёте
	бу́дет красть	бу́дут красть	украдёт	украду́т
SUBJ.	крал бы		укра́л бы	
	кра́ла бы		укра́ла бы	
	кра́ло бы		укра́ло бы	
	кра́ли бы		укра́ли бы	
IMP.	кради́		укради́	
	кради́те		укради́те	

PARTICIPLES

PRES. ACT.	краду́щий	———
PRES. PASS.	———	———
PAST ACT.	кра́вший	укра́вший
PAST PASS.	———	укра́денный
ADV. PART.	крадя́	укра́в(-ши)

SHOUT / GIVE A SHOUT

	IMPERFECTIVE ASPECT		PERFECTIVE ASPECT	
INF.	крича́ть		кри́кнуть	
PRES.	кричу́	кричи́м		
	кричи́шь	кричи́те	———	
	кричи́т	крича́т		
PAST	крича́л		кри́кнул	
	крича́ла		кри́кнула	
	крича́ло		кри́кнуло	
	крича́ли		кри́кнули	
FUT.	бу́ду крича́ть	бу́дем крича́ть	кри́кну	кри́кнем
	бу́дешь крича́ть	бу́дете крича́ть	кри́кнешь	кри́кнете
	бу́дет крича́ть	бу́дут крича́ть	кри́кнет	кри́кнут
SUBJ.	крича́л бы		кри́кнул бы	
	крича́ла бы		кри́кнула бы	
	крича́ло бы		кри́кнуло бы	
	крича́ли бы		кри́кнули бы	
IMP.	кричи́		кри́кни	
	кричи́те		кри́кните	

PARTICIPLES

	IMPERFECTIVE	PERFECTIVE
PRES. ACT.	крича́щий	———
PRES. PASS.	———	———
PAST ACT.	крича́вший	кри́кнувший
PAST PASS.	———	кри́кнутый
ADV. PART.	крича́	кри́кнув(-ши)

КУРИТЬ / ПОКУРИТЬ

SMOKE

	IMPERFECTIVE ASPECT		PERFECTIVE ASPECT	
INF.	кури́ть		покури́ть	
PRES.	курю́	ку́рим		
	ку́ришь	ку́рите	———	
	ку́рит	ку́рят		
PAST	кури́л		покури́л	
	кури́ла		покури́ла	
	кури́ло		покури́ло	
	кури́ли		покури́ли	
FUT.	бу́ду кури́ть	бу́дем кури́ть	покурю́	поку́рим
	бу́дешь кури́ть	бу́дете кури́ть	поку́ришь	поку́рите
	бу́дет кури́ть	бу́дут кури́ть	поку́рит	поку́рят
SUBJ.	кури́л бы		покури́л бы	
	кури́ла бы		покури́ла бы	
	кури́ло бы		покури́ло бы	
	кури́ли бы		покури́ли бы	
IMP.	кури́		покури́	
	кури́те		покури́те	

PARTICIPLES

PRES. ACT.	куря́щий	———
PRES. PASS.	———	———
PAST ACT.	кури́вший	покури́вший
PAST PASS.	———	поку́ренный
ADV. PART.	куря́	покури́в(-ши)

BE LYING

	IMPERFECTIVE ASPECT		PERFECTIVE ASPECT	
INF.	**лежа́ть**		**полежа́ть**	
PRES.	**лежу́**	**лежи́м**		
	лежи́шь	**лежи́те**	———	
	лежи́т	**лежа́т**		
PAST	**лежа́л**		**полежа́л**	
	лежа́ла		**полежа́ла**	
	лежа́ло		**полежа́ло**	
	лежа́ли		**полежа́ли**	
FUT.	**бу́ду лежа́ть**	**бу́дем лежа́ть**	**полежу́**	**полежи́м**
	бу́дешь лежа́ть	**бу́дете лежа́ть**	**полежи́шь**	**полежи́те**
	бу́дет лежа́ть	**бу́дут лежа́ть**	**полежи́т**	**полежа́т**
SUBJ.	**лежа́л бы**		**полежа́л бы**	
	лежа́ла бы		**полежа́ла бы**	
	лежа́ло бы		**полежа́ло бы**	
	лежа́ли бы		**полежа́ли бы**	
IMP.	**лежи́**		**полежи́**	
	лежи́те		**полежи́те**	

PARTICIPLES

PRES. ACT.	**лежа́щий**	———
PRES. PASS.	———	———
PAST ACT.	**лежа́вший**	**полежа́вший**
PAST PASS.	———	———
ADV. PART.	**лёжа**	**полежа́в(-ши)**

FLY

Imperfective

	INDETERMINATE		DETERMINATE	
INF.	лета́ть		лете́ть	
PRES.	лета́ю	лета́ем	лечу́	лети́м
	лета́ешь	лета́ете	лети́шь	лети́те
	лета́ет	лета́ют	лети́т	летя́т
PAST	лета́л		лете́л	
	лета́ла		лете́ла	
	лета́ло		лете́ло	
	лета́ли		лете́ли	
FUT.	бу́ду лета́ть	бу́дем лета́ть	бу́ду лете́ть	бу́дем лете́ть
	бу́дешь лета́ть	бу́дете лета́ть	бу́дешь лете́ть	бу́дете лете́ть
	бу́дет лета́ть	бу́дут лета́ть	бу́дет лете́ть	бу́дут лете́ть
SUBJ.	лета́л бы		лете́л бы	
	лета́ла бы		лете́ла бы	
	лета́ло бы		лете́ло бы	
	лета́ли бы		лете́ли бы	
IMP.	лета́й		лети́	
	лета́йте		лети́те	

PARTICIPLES

PRES. ACT.	лета́ющий	летя́щий
PRES. PASS.	———	———
PAST ACT.	лета́вший	лете́вший
PAST PASS.	———	———
ADV. PART.	лета́я	летя́

TREAT / CURE

	IMPERFECTIVE ASPECT		PERFECTIVE ASPECT	
INF.	лечи́ть		вы́лечить	
PRES.	лечу́	ле́чим		
	ле́чишь	ле́чите	———	
	ле́чит	ле́чат		
PAST	лечи́л		вы́лечил	
	лечи́ла		вы́лечила	
	лечи́ло		вы́лечило	
	лечи́ли		вы́лечили	
FUT.	бу́ду лечи́ть	бу́дем лечи́ть	вы́лечу	вы́лечим
	бу́дешь лечи́ть	бу́дете лечи́ть	вы́лечишь	вы́лечите
	бу́дет лечи́ть	бу́дут лечи́ть	вы́лечит	вы́лечат
SUBJ.	лечи́л бы		вы́лечил бы	
	лечи́ла бы		вы́лечила бы	
	лечи́ло бы		вы́лечило бы	
	лечи́ли бы		вы́лечили бы	
IMP.	лечи́		вы́лечи	
	лечи́те		вы́лечите	

PARTICIPLES

PRES. ACT.	ле́чащий	———
PRES. PASS.	———	———
PAST ACT.	лечи́вший	вы́лечивший
PAST PASS.	———	вы́леченный
ADV. PART.	леча́	вы́лечив(-ши)

ЛИТЬ/НАЛИТЬ

POUR

	IMPERFECTIVE ASPECT		PERFECTIVE ASPECT	
INF.	лить		нали́ть	
PRES.	лью	льём		
	льёшь	льёте	———	
	льёт	льют		
PAST	лил		на́лил (нали́л)	
	лила́		налила́	
	ли́ло		на́лило (нали́ло)	
	ли́ли		на́лили (нали́ли)	
FUT.	бу́ду лить	бу́дем лить	налью́	нальём
	бу́дешь лить	бу́дете лить	нальёшь	нальёте
	бу́дет лить	бу́дут лить	нальёт	налью́т
SUBJ.	лил бы		на́лил (нали́л) бы	
	лила́ бы		налила́ бы	
	ли́ло бы		на́лило (нали́ло) бы	
	ли́ли бы		на́лили (нали́ли) бы	
IMP.	лей		нале́й	
	ле́йте		нале́йте	

PARTICIPLES

PRES. ACT.	лью́щий	———
PRES. PASS.	———	———
PAST ACT.	ли́вший	нали́вший
PAST PASS.	———	на́литый (нали́тый)
ADV. PART.	———	нали́в(-ши)

HUNT / CATCH

	IMPERFECTIVE ASPECT		PERFECTIVE ASPECT	
INF.	лови́ть		пойма́ть	
PRES.	ловлю́	ло́вим		
	ло́вишь	ло́вите	———	
	ло́вит	ло́вят		
PAST	лови́л		пойма́л	
	лови́ла		пойма́ла	
	лови́ло		пойма́ло	
	лови́ли		пойма́ли	
FUT.	бу́ду лови́ть	бу́дем лови́ть	пойма́ю	пойма́ем
	бу́дешь лови́ть	бу́дете лови́ть	пойма́ешь	пойма́ете
	бу́дет лови́ть	бу́дут лови́ть	пойма́ет	пойма́ют
SUBJ.	лови́л бы		пойма́л бы	
	лови́ла бы		пойма́ла бы	
	лови́ло бы		пойма́ло бы	
	лови́ли бы		пойма́ли бы	
IMP.	лови́		пойма́й	
	лови́те		пойма́йте	

PARTICIPLES

	IMPERFECTIVE	PERFECTIVE
PRES. ACT.	ловя́щий	———
PRES. PASS.	———	———
PAST ACT.	лови́вший	пойма́вший
PAST PASS.	———	по́йманный
ADV. PART.	ловя́	пойма́в(-ши)

ЛОЖИТЬСЯ / ЛЕЧЬ

LIE DOWN

	IMPERFECTIVE ASPECT		PERFECTIVE ASPECT	
INF.	**ложи́ться**		**лечь**	
PRES.	**ложу́сь**	**ложи́мся**		
	ложи́шься	**ложи́тесь**	———	
	ложи́тся	**ложа́тся**		
PAST	**ложи́лся**		**лёг**	
	ложи́лась		**легла́**	
	ложи́лось		**легло́**	
	ложи́лись		**легли́**	
FUT.	**бу́ду ложи́ться**	**бу́дем ложи́ться**	**ля́гу**	**ля́жем**
	бу́дешь ложи́ться	**бу́дете ложи́ться**	**ля́жешь**	**ля́жете**
	бу́дет ложи́ться	**бу́дут ложи́ться**	**ля́жет**	**ля́гут**
SUBJ.	**ложи́лся бы**		**лёг бы**	
	ложи́лась бы		**легла́ бы**	
	ложи́лось бы		**легло́ бы**	
	ложи́лись бы		**легли́ бы**	
IMP.	**ложи́сь**		**ляг**	
	ложи́тесь		**ля́гте**	

PARTICIPLES

PRES. ACT.	**ложа́щийся**	———
PRES. PASS.	———	———
PAST ACT.	**ложи́вшийся**	**лёгший**
PAST PASS.	———	———
ADV. PART.	**ложа́сь**	**лёгши**

LIKE, LOVE

	IMPERFECTIVE ASPECT		PERFECTIVE ASPECT	
INF.	люби́ть		полюби́ть	
PRES.	люблю́	лю́бим		
	лю́бишь	лю́бите	———	
	лю́бит	лю́бят		
PAST	люби́л		полюби́л	
	люби́ла		полюби́ла	
	люби́ло		полюби́ло	
	люби́ли		полюби́ли	
FUT.	бу́ду люби́ть	бу́дем люби́ть	полюблю́	полю́бим
	бу́дешь люби́ть	бу́дете люби́ть	полю́бишь	полю́бите
	бу́дет люби́ть	бу́дут люби́ть	полю́бит	полю́бят
SUBJ.	люби́л бы		полюби́л бы	
	люби́ла бы		полюби́ла бы	
	люби́ло бы		полюби́ло бы	
	люби́ли бы		полюби́ли бы	
IMP.	люби́		полюби́	
	люби́те		полюби́те	

PARTICIPLES

PRES. ACT.	лю́бящий	———
PRES. PASS.	люби́мый	———
PAST ACT.	люби́вший	полюби́вший
PAST PASS.	———	———
ADV. PART.	любя́	полюби́в(-ши)

МЕШАТЬ / ПОМЕШАТЬ

HINDER

	IMPERFECTIVE ASPECT		PERFECTIVE ASPECT	
INF.	меша́ть		помеша́ть	
PRES.	меша́ю	меша́ем		
	меша́ешь	меша́ете	———	
	меша́ет	меша́ют		
PAST	меша́л		помеша́л	
	меша́ла		помеша́ла	
	меша́ло		помеша́ло	
	меша́ли		помеша́ли	
FUT.	бу́ду меша́ть	бу́дем меша́ть	помеша́ю	помеша́ем
	бу́дешь меша́ть	бу́дете меша́ть	помеша́ешь	помеша́ете
	бу́дет меша́ть	бу́дут меша́ть	помеша́ет	помеша́ют
SUBJ.	меша́л бы		помеша́л бы	
	меша́ла бы		помеша́ла бы	
	меша́ло бы		помеша́ло бы	
	меша́ли бы		помеша́ли бы	
IMP.	меша́й		помеша́й	
	меша́йте		помеша́йте	

PARTICIPLES

PRES. ACT.	меша́ющий	———
PRES. PASS.	———	———
PAST ACT.	меша́вший	помеша́вший
PAST PASS.	———	———
ADV. PART.	меша́я	помеша́в(-ши)

BE ABLE

	IMPERFECTIVE ASPECT		PERFECTIVE ASPECT	
INF.	мочь		смочь	
PRES.	могу́	мо́жем		
	мо́жешь	мо́жете	———	
	мо́жет	мо́гут		
PAST	мог		смог	
	могла́		смогла́	
	могло́		смогло́	
	могли́		смогли́	
FUT.	———		смогу́	смо́жем
			смо́жешь	смо́жете
			смо́жет	смо́гут
SUBJ.	мог бы		смог бы	
	могла́ бы		смогла́ бы	
	могло́ бы		смогло́ бы	
	могли́ бы		смогли́ бы	
IMP.	———		———	
	———		———	

PARTICIPLES

PRES. ACT.	могу́щий	———
PRES. PASS.	———	———
PAST ACT.	мо́гший	смо́гший
PAST PASS.	———	———
ADV. PART.	———	———

МЫТЬ / ВЫМЫТЬ
МЫТЬСЯ / ВЫМЫТЬСЯ

WASH
WASH ONESELF

	IMPERFECTIVE ASPECT		PERFECTIVE ASPECT	
INF.	мыть		вы́мыть	
PRES.	мо́ю	мо́ем		
	мо́ешь	мо́ете	———	
	мо́ет	мо́ют		
PAST	мыл		вы́мыл	
	мы́ла		вы́мыла	
	мы́ло		вы́мыло	
	мы́ли		вы́мыли	
FUT.	бу́ду мыть	бу́дем мыть	вы́мою	вы́моем
	бу́дешь мыть	бу́дете мыть	вы́моешь	вы́моете
	бу́дет мыть	бу́дут мыть	вы́моет	вы́моют
SUBJ.	мыл бы		вы́мыл бы	
	мы́ла бы		вы́мыла бы	
	мы́ло бы		вы́мыло бы	
	мы́ли бы		вы́мыли бы	
IMP.	мой		вы́мой	
	мо́йте		вы́мойте	

PARTICIPLES

PRES. ACT.	мо́ющий	———
PRES. PASS.	———	———
PAST ACT.	мы́вший	вы́мывший
PAST PASS.	———	вы́мытый
ADV. PART.	мо́я	вы́мыв(ши)

HOPE

	IMPERFECTIVE ASPECT		PERFECTIVE ASPECT	
INF.	**надéяться**		**понадéяться**	
PRES.	**надéюсь**	**надéемся**		
	надéешься	**надéетесь**		
	надéется	**надéются**	———	
PAST	**надéялся**		**понадéялся**	
	надéялась		**понадéялась**	
	надéялось		**понадéялось**	
	надéялись		**понадéялись**	
FUT.	**бýду надéяться**	**бýдем надéяться**	**понадéюсь**	**понадéемся**
	бýдешь надéяться	**бýдете надéяться**	**понадéешься**	**понадéетесь**
	бýдет надéяться	**бýдут надéяться**	**понадéется**	**понадéются**
SUBJ.	**надéялся бы**		**понадéялся бы**	
	надéялась бы		**понадéялась бы**	
	надéялось бы		**понадéялось бы**	
	надéялись бы		**понадéялись бы**	
IMP.	**надéйся**		**понадéйся**	
	надéйтесь		**понадéйтесь**	

PARTICIPLES

PRES. ACT.	**надéющийся**	———
PRES. PASS.	———	———
PAST ACT.	**надéявшийся**	**понадéявшийся**
PAST PASS.	———	———
ADV. PART.	**надéясь**	**понадéявшись**

НАЗЫВАТЬ / НАЗВАТЬ

NAME

	IMPERFECTIVE ASPECT		PERFECTIVE ASPECT	
INF.	называ́ть		назва́ть	
PRES.	называ́ю	называ́ем		
	называ́ешь	называ́ете	———	
	называ́ет	называ́ют		
PAST	называ́л		назва́л	
	называ́ла		назвала́	
	называ́ло		назва́ло	
	называ́ли		назва́ли	
FUT.	бу́ду называ́ть	бу́дем называ́ть	назову́	назовём
	бу́дешь называ́ть	бу́дете называ́ть	назовёшь	назовёте
	бу́дет называ́ть	бу́дут называ́ть	назовёт	назову́т
SUBJ.	называ́л бы		назва́л бы	
	называ́ла бы		назвала́ бы	
	называ́ло бы		назва́ло бы	
	называ́ли бы		назва́ли бы	
IMP.	называ́й		назови́	
	называ́йте		назови́те	

PARTICIPLES

PRES. ACT.	называ́ющий	———
PRES. PASS.	называ́емый	———
PAST ACT.	называ́вший	назва́вший
PAST PASS.	———	на́званный
ADV. PART.	называ́я	назва́в(-ши)

BEGIN

	IMPERFECTIVE ASPECT		PERFECTIVE ASPECT	
INF.	начина́ть		нача́ть	
PRES.	начина́ю	начина́ем		
	начина́ешь	начина́ете	———	
	начина́ет	начина́ют		
PAST	начина́л		на́чал	
	начина́ла		начала́	
	начина́ло		на́чало	
	начина́ли		на́чали	
FUT.	бу́ду начина́ть	бу́дем начина́ть	начну́	начнём
	бу́дешь начина́ть	бу́дете начина́ть	начнёшь	начнёте
	бу́дет начина́ть	бу́дут начина́ть	начнёт	начну́т
SUBJ.	начина́л бы		на́чал бы	
	начина́ла бы		начала́ бы	
	начина́ло бы		на́чало бы	
	начина́ли бы		на́чали бы	
IMP.	начина́й		начни́	
	начина́йте		начни́те	

PARTICIPLES

PRES. ACT.	начина́ющий	———
PRES. PASS.	начина́емый	———
PAST ACT.	начина́вший	нача́вший
PAST PASS.	———	на́чатый (на́чат, начата́, на́чато)
ADV. PART.	начина́я	нача́в(-ши)

НОСИТЬ*НЕСТИ/ПОНЕСТИ (ВНЕСТИ)

CARRY

IMPERFECTIVE

	INDETERMINATE		DETERMINATE	
INF.	носи́ть		нести́	
PRES.	ношу́	но́сим	несу́	несём
	но́сишь	но́сите	несёшь	несёте
	но́сит	но́сят	несёт	несу́т
PAST	носи́л		нёс	
	носи́ла		несла́	
	носи́ло		несло́	
	носи́ли		несли́	
FUT.	бу́ду носи́ть	бу́дем носи́ть	бу́ду нести́	бу́дем нести́
	бу́дешь носи́ть	бу́дете носи́ть	бу́дешь нести́	бу́дете нести́
	бу́дет носи́ть	бу́дут носи́ть	бу́дет нести́	бу́дут нести́
SUBJ.	носи́л бы		нёс бы	
	носи́ла бы		несла́ бы	
	носи́ло бы		несло́ бы	
	носи́ли бы		несли́ бы	
IMP.	носи́		неси́	
	носи́те		неси́те	

PARTICIPLES

PRES. ACT.	нося́щий	несу́щий
PRES. PASS.	носи́мый	———
PAST ACT.	носи́вший	нёсший
PAST PASS.	———	———
ADV. PART.	нося́	неся́

BE PLEASING

	IMPERFECTIVE ASPECT		PERFECTIVE ASPECT	
INF.	нра́виться		понра́виться	
PRES.	нра́влюсь	нра́вимся		
	нра́вишься	нра́витесь	———	
	нра́вится	нра́вятся		
PAST	нра́вился		понра́вился	
	нра́вилась		понра́вилась	
	нра́вилось		понра́вилось	
	нра́вились		понра́вились	
FUT.	бу́ду нра́виться	бу́дем нра́виться	понра́влюсь	понра́вимся
	бу́дешь нра́виться	бу́дете нра́виться	понра́вишься	понра́витесь
	бу́дет нра́виться	бу́дут нра́виться	понра́вится	понра́вятся
SUBJ.	нра́вился бы		понра́вился бы	
	нра́вилась бы		понра́вилась бы	
	нра́вилось бы		понра́вилось бы	
	нра́вились бы		понра́вились бы	
IMP.	———		———	
	———		———	

PARTICIPLES

PRES. ACT.	нра́вящийся	———
PRES. PASS.	———	———
PAST ACT.	нра́вившийся	понра́вившийся
PAST PASS.	———	———
ADV. PART.	нра́вясь	понра́вившись

ОБГОНЯТЬ / ОБОГНАТЬ

OUTDISTANCE

	IMPERFECTIVE ASPECT		PERFECTIVE ASPECT	
INF.	обгоня́ть		обогна́ть	
PRES.	обгоня́ю	обгоня́ем	———	
	обгоня́ешь	обгоня́ете		
	обгоня́ет	обгоня́ют		
PAST	обгоня́л		обогна́л	
	обгоня́ла		обогнала́	
	обгоня́ло		обогна́ло	
	обгоня́ли		обогна́ли	
FUT.	бу́ду обгоня́ть	бу́дем обгоня́ть	обгоню́	обго́ним
	бу́дешь обгоня́ть	бу́дете обгоня́ть	обго́нишь	обго́ните
	бу́дет обгоня́ть	бу́дут обгоня́ть	обго́нит	обго́нят
SUBJ.	обгоня́л бы		обогна́л бы	
	обгоня́ла бы		обогнала́ бы	
	обгоня́ло бы		обогна́ло бы	
	обгоня́ли бы		обогна́ли бы	
IMP.	обгоня́й		обгони́	
	обгоня́йте		обгони́те	

PARTICIPLES

PRES. ACT.	обгоня́ющий	———
PRES. PASS.	обгоня́емый	———
PAST ACT.	обгоня́вший	обогна́вший
PAST PASS.	———	обо́гнанный
ADV. PART.	обгоня́я	обогна́в(-ши)

HAVE DINNER

	IMPERFECTIVE ASPECT		PERFECTIVE ASPECT	
INF.	обе́дать		пообе́дать	
PRES.	обе́даю	обе́даем		
	обе́даешь	обе́даете	———	
	обе́дает	обе́дают		
PAST	обе́дал		пообе́дал	
	обе́дала		пообе́дала	
	обе́дало		пообе́дало	
	обе́дали		пообе́дали	
FUT.	бу́ду обе́дать	бу́дем обе́дать	пообе́даю	пообе́даем
	бу́дешь обе́дать	бу́дете обе́дать	пообе́даешь	пообе́даете
	бу́дет обе́дать	бу́дут обе́дать	пообе́дает	пообе́дают
SUBJ.	обе́дал бы		пообе́дал бы	
	обе́дала бы		пообе́дала бы	
	обе́дало бы		пообе́дало бы	
	обе́дали бы		пообе́дали бы	
IMP.	обе́дай		пообе́дай	
	обе́дайте		пообе́дайте	

PARTICIPLES

PRES. ACT.	обе́дающий	———
PRES. PASS.	———	———
PAST ACT.	обе́давший	пообе́давший
PAST PASS.	———	———
ADV. PART.	обе́дая	пообе́дав(-ши)

ОБЕЩАТЬ

PROMISE

	IMPERFECTIVE ASPECT		and	PERFECTIVE ASPECT	
INF.			обеща́ть		
PRES.	обеща́ю	обеща́ем		———	
	обеща́ешь	обеща́ете			
	обеща́ет	обеща́ют			
PAST			обеща́л		
			обеща́ла		
			обеща́ло		
			обеща́ли		
FUT.	бу́ду обеща́ть	бу́дем обеща́ть		обеща́ю	обеща́ем
	бу́дешь обеща́ть	бу́дете обеща́ть		обеща́ешь	обеща́ете
	бу́дет обеща́ть	бу́дут обеща́ть		обеща́ет	обеща́ют
SUBJ.			обеща́л бы		
			обеща́ла бы		
			обеща́ло бы		
			обеща́ли бы		
IMP.			обеща́й		
			обеща́йте		

PARTICIPLES

PRES. ACT.	обеща́ющий		———
PRES. PASS.	обеща́емый		———
PAST ACT.		обеща́вший	
PAST PASS.	———		обе́щанный
ADV. PART.	обеща́я		обеща́в(-ши)

EXPLAIN

	IMPERFECTIVE ASPECT		PERFECTIVE ASPECT	
INF.	объясня́ть		объясни́ть	
PRES.	объясня́ю	объясня́ем		
	объясня́ешь	объясня́ете		
	объясня́ет	объясня́ют	———	
PAST	объясня́л		объясни́л	
	объясня́ла		объясни́ла	
	объясня́ло		объясни́ло	
	объясня́ли		объясни́ли	
FUT.	бу́ду объясня́ть	бу́дем объясня́ть	объясню́	объясни́м
	бу́дешь объясня́ть	бу́дете объясня́ть	объясни́шь	объясни́те
	бу́дет объясня́ть	бу́дут объясня́ть	объясни́т	объясня́т
SUBJ.	объясня́л бы		объясни́л бы	
	объясня́ла бы		объясни́ла бы	
	объясня́ло бы		объясни́ло бы	
	объясня́ли бы		объясни́ли бы	
IMP.	объясня́й		объясни́	
	объясня́йте		объясни́те	

PARTICIPLES

PRES. ACT.	объясня́ющий	———
PRES. PASS.	объясня́емый	———
PAST ACT.	объясня́вший	объясни́вший
PAST PASS.	———	объяснённый (объяснён, объяснена́)
ADV. PART.	объясня́я	объясни́в(-ши)

ОДЕВАТЬ / ОДЕТЬ
ОДЕВАТЬСЯ / ОДЕТЬСЯ

DRESS
GET DRESSED

	IMPERFECTIVE ASPECT		PERFECTIVE ASPECT	
INF.	одева́ть		оде́ть	
PRES.	одева́ю	одева́ем	———	
	одева́ешь	одева́ете		
	одева́ет	одева́ют		
PAST	одева́л		оде́л	
	одева́ла		оде́ла	
	одева́ло		оде́ло	
	одева́ли		оде́ли	
FUT.	бу́ду одева́ть	бу́дем одева́ть	оде́ну	оде́нем
	бу́дешь одева́ть	бу́дете одева́ть	оде́нешь	оде́нете
	бу́дет одева́ть	бу́дут одева́ть	оде́нет	оде́нут
SUBJ.	одева́л бы		оде́л бы	
	одева́ла бы		оде́ла бы	
	одева́ло бы		оде́ло бы	
	одева́ли бы		оде́ли бы	
IMP.	одева́й		оде́нь	
	одева́йте		оде́ньте	

PARTICIPLES

PRES. ACT.	одева́ющий	———
PRES. PASS.	одева́емый	———
PAST ACT.	одева́вший	оде́вший
PAST PASS.	———	оде́тый
ADV. PART.	одева́я	оде́в(-ши)

BE LATE

	IMPERFECTIVE ASPECT		PERFECTIVE ASPECT	
INF.	опáздывать		опоздáть	
PRES.	опáздываю	опáздываем		
	опáздываешь	опáздываете	———	
	опáздывает	опáздывают		
PAST	опáздывал		опоздáл	
	опáздывала		опоздáла	
	опáздывало		опоздáло	
	опáздывали		опоздáли	
FUT.	бýду опáздывать	бýдем опáздывать	опоздáю	опоздáем
	бýдешь опáздывать	бýдете опáздывать	опоздáешь	опоздáете
	бýдет опáздывать	бýдут опáздывать	опоздáет	опоздáют
SUBJ.	опáздывал бы		опоздáл бы	
	опáздывала бы		опоздáла бы	
	опáздывало бы		опоздáло бы	
	опáздывали бы		опоздáли бы	
IMP.	опáздывай		опоздáй	
	опáздывайте		опоздáйте	

PARTICIPLES

PRES. ACT.	опáздывающий	———
PRES. PASS.	———	———
PAST ACT.	опáздывавший	опоздáвший
PAST PASS.	———	———
ADV. PART.	опáздывая	опоздáв(-ши)

ОСМАТРИВАТЬ / ОСМОТРЕТЬ

LOOK OVER

	IMPERFECTIVE ASPECT		PERFECTIVE ASPECT	
INF.	осма́тривать		осмотре́ть	
PRES.	осма́триваю	осма́триваем	———	
	осма́триваешь	осма́триваете		
	осма́тривает	осма́тривают		
PAST	осма́тривал		осмотре́л	
	осма́тривала		осмотре́ла	
	осма́тривало		осмотре́ло	
	осма́тривали		осмотре́ли	
FUT.	бу́ду осма́тривать	бу́дем осма́тривать	осмотрю́	осмо́трим
	бу́дешь осма́тривать	бу́дете осма́тривать	осмо́тришь	осмо́трите
	бу́дет осма́тривать	бу́дут осма́тривать	осмо́трит	осмо́трят
SUBJ.	осма́тривал бы		осмотре́л бы	
	осма́тривала бы		осмотре́ла бы	
	осма́тривало бы		осмотре́ло бы	
	осма́тривали бы		осмотре́ли бы	
IMP.	осма́тривай		осмотри́	
	осма́тривайте		осмотри́те	

PARTICIPLES

PRES. ACT.	осма́тривающий	———
PRES. PASS.	осма́триваемый	———
PAST ACT.	осма́тривавший	осмотре́вший
PAST PASS.	———	осмо́тренный
ADV. PART.	осма́тривая	осмотре́в(-ши)

ОСТАВАТЬСЯ / ОСТАТЬСЯ

REMAIN

	IMPERFECTIVE ASPECT		PERFECTIVE ASPECT	
INF.	**оставáтьсья**		**остáться**	
PRES.	**остаю́сь**	**остаёмся**	———	
	остаёшься	**остаётесь**		
	остаётся	**остаю́тся**		
PAST	**оставáлся**		**остáлся**	
	оставáлась		**остáлась**	
	оставáлось		**остáлось**	
	оставáлись		**остáлись**	
FUT.	**бу́ду оставáться**	**бу́дем оставáться**	**остáнусь**	**остáнемся**
	бу́дешь оставáться	**бу́дете оставáться**	**остáнешься**	**остáнетесь**
	бу́дет оставáться	**бу́дут оставáться**	**остáнется**	**остáнутся**
SUBJ.	**оставáлся бы**		**остáлся бы**	
	оставáлась бы		**остáлась бы**	
	оставáлось бы		**остáлось бы**	
	оставáлись бы		**остáлись бы**	
IMP.	**оставáйся**		**остáнься**	
	оставáйтесь		**остáньтесь**	

PARTICIPLES

	IMPERFECTIVE	PERFECTIVE
PRES. ACT.	**остаю́щийся**	———
PRES. PASS.	———	———
PAST ACT.	**оставáвшийся**	**остáвшийся**
PAST PASS.	———	———
ADV. PART.	**оставáясь**	**остáвшись**

ОСТАВЛЯТЬ / ОСТАВИТЬ

LEAVE BEHIND

	IMPERFECTIVE ASPECT		PERFECTIVE ASPECT	
INF.	оставля́ть		оста́вить	
PRES.	оставля́ю	оставля́ем		
	оставля́ешь	оставля́ете	———	
	оставля́ет	оставля́ют		
PAST	оставля́л		оста́вил	
	оставля́ла		оста́вила	
	оставля́ло		оста́вило	
	оставля́ли		оста́вили	
FUT.	бу́ду оставля́ть	бу́дем оставля́ть	оста́влю	оста́вим
	бу́дешь оставля́ть	бу́дете оставля́ть	оста́вишь	оста́вите
	бу́дет оставля́ть	бу́дут оставля́ть	оста́вит	оста́вят
SUBJ.	оставля́л бы		оста́вил бы	
	оставля́ла бы		оста́вила бы	
	оставля́ло бы		оста́вило бы	
	оставля́ли бы		оста́вили бы	
IMP.	оставля́й		оста́вь	
	оставля́йте		оста́вьте	

PARTICIPLES

PRES. ACT.	оставля́ющий	———
PRES. PASS.	оставля́емый	———
PAST ACT.	оставля́вший	оста́вивший
PAST PASS.	———	оста́вленный
ADV. PART.	оставля́я	оста́вив(-ши)

BRING TO A STOP
COME TO A STOP

	IMPERFECTIVE ASPECT		PERFECTIVE ASPECT	
INF.	**остана́вливать**		**останови́ть**	
PRES.	**остана́вливаю**	**остана́вливаем**		
	остана́вливаешь	**остана́вливаете**	———	
	остана́вливает	**остана́вливают**		
PAST	**остана́вливал**		**останови́л**	
	остана́вливала		**останови́ла**	
	остана́вливало		**останови́ло**	
	остана́вливали		**останови́ли**	
FUT.	**бу́ду**	**бу́дем**	**остановлю́**	**остано́вим**
	бу́дешь	**бу́дете**	**остано́вишь**	**остано́вите**
	бу́дет	**бу́дут**	**остано́вит**	**остано́вят**
	остана́вливать	**остана́вливать**		
SUBJ.	**остана́вливал бы**		**останови́л бы**	
	остана́вливала бы		**останови́ла бы**	
	остана́вливало бы		**останови́ло бы**	
	остана́вливали бы		**останови́ли бы**	
IMP.	**остана́вливай**		**останови́**	
	остана́вливайте		**останови́те**	

PARTICIPLES

PRES. ACT.	**остана́вливающий**	———
PRES. PASS.	**остана́вливаемый**	———
PAST ACT.	**остана́вливавший**	**останови́вший**
PAST PASS.	———	**остано́вленный**
ADV. PART.	**остана́вливая**	**останови́в(-ши)**

ОТВЕЧАТЬ / ОТВЕТИТЬ

ANSWER

	IMPERFECTIVE ASPECT		PERFECTIVE ASPECT	
INF.	отвеча́ть		отве́тить	
PRES.	отвеча́ю	отвеча́ем		
	отвеча́ешь	отвеча́ете	———	
	отвеча́ет	отвеча́ют		
PAST	отвеча́л		отве́тил	
	отвеча́ла		отве́тила	
	отвеча́ло		отве́тило	
	отвеча́ли		отве́тили	
FUT.	бу́ду отвеча́ть	бу́дем отвеча́ть	отве́чу	отве́тим
	бу́дешь отвеча́ть	бу́дете отвеча́ть	отве́тишь	отве́тите
	бу́дет отвеча́ть	бу́дут отвеча́ть	отве́тит	отве́тят
SUBJ.	отвеча́л бы		отве́тил бы	
	отвеча́ла бы		отве́тила бы	
	отвеча́ло бы		отве́тило бы	
	отвеча́ли бы		отве́тили бы	
IMP.	отвеча́й		отве́ть	
	отвеча́йте		отве́тьте	

PARTICIPLES

PRES. ACT.	отвеча́ющий	———
PRES. PASS.	———	———
PAST ACT.	отвеча́вший	отве́тивший
PAST PASS.	———	———
ADV. PART.	отвеча́я	отве́тив(-ши)

REST

	IMPERFECTIVE ASPECT		PERFECTIVE ASPECT	
INF.	отдыха́ть		отдохну́ть	
PRES.	отдыха́ю	отдыха́ем	———	
	отдыха́ешь	отдыха́ете		
	отдыха́ет	отдыха́ют		
PAST	отдыха́л		отдохну́л	
	отдыха́ла		отдохну́ла	
	отдыха́ло		отдохну́ло	
	отдыха́ли		отдохну́ли	
FUT.	бу́ду отдыха́ть	бу́дем отдыха́ть	отдохну́	отдохнём
	бу́дешь отдыха́ть	бу́дете отдыха́ть	отдохнёшь	отдохнёте
	бу́дет отдыха́ть	бу́дут отдыха́ть	отдохнёт	отдохну́т
SUBJ.	отдыха́л бы		отдохну́л бы	
	отдыха́ла бы		отдохну́ла бы	
	отдыха́ло бы		отдохну́ло бы	
	отдыха́ли бы		отдохну́ли бы	
IMP.	отдыха́й		отдохни́	
	отдыха́йте		отдохни́те	

PARTICIPLES

PRES. ACT.	отдыха́ющий	———
PRES. PASS.	———	———
PAST ACT.	отдыха́вший	отдохну́вший
PAST PASS.	———	———
ADV. PART.	отдыха́я	отдохну́в(-ши)

ОТЛИЧАТЬ / ОТЛИЧИТЬ
ОТЛИЧАТЬСЯ / ОТЛИЧИТЬСЯ

DISTINGUISH
BE DISTINGUISHED

	IMPERFECTIVE ASPECT		PERFECTIVE ASPECT	
INF.	**отлича́ть**		**отличи́ть**	
PRES.	**отлича́ю**	**отлича́ем**		
	отлича́ешь	**отлича́ете**	———	
	отлича́ет	**отлича́ют**		
PAST	**отлича́л**		**отличи́л**	
	отлича́ла		**отличи́ла**	
	отлича́ло		**отличи́ло**	
	отлича́ли		**отличи́ли**	
FUT.	**бу́ду отлича́ть**	**бу́дем отлича́ть**	**отличу́**	**отличи́м**
	бу́дешь отлича́ть	**бу́дете отлича́ть**	**отличи́шь**	**отличи́те**
	бу́дет отлича́ть	**бу́дут отлича́ть**	**отличи́т**	**отлича́т**
SUBJ.	**отлича́л бы**		**отличи́л бы**	
	отлича́ла бы		**отличи́ла бы**	
	отлича́ло бы		**отличи́ло бы**	
	отлича́ли бы		**отличи́ли бы**	
IMP.	**отлича́й**		**отличи́**	
	отлича́йте		**отличи́те**	

PARTICIPLES

PRES. ACT.	**отлича́ющий**	———
PRES. PASS.	**отлича́емый**	———
PAST ACT.	**отлича́вший**	**отличи́вший**
PAST PASS.	———	**отличённый (отличён, отличена́)**
ADV. PART.	**отлича́я**	**отличи́в(-ши)**

MAKE A MISTAKE

	IMPERFECTIVE ASPECT		PERFECTIVE ASPECT	
INF.	ошиба́ться		ошиби́ться	
PRES.	ошиба́юсь	ошиба́емся		
	ошиба́ешься	ошиба́етесь	———	
	ошиба́ется	ошиба́ются		
PAST	ошиба́лся		оши́бся	
	ошиба́лась		оши́блась	
	ошиба́лось		оши́блось	
	ошиба́лись		оши́блись	
FUT.	бу́ду ошиба́ться	бу́дем ошиба́ться	ошибу́сь	ошибёмся
	бу́дешь ошиба́ться	бу́дете ошиба́ться	ошибёшься	ошибётесь
	бу́дет ошиба́ться	бу́дут ошиба́ться	ошибётся	ошибу́тся
SUBJ.	ошиба́лся бы		оши́бся бы	
	ошиба́лась бы		оши́блась бы	
	ошиба́лось бы		оши́блось бы	
	ошиба́лись бы		оши́блись бы	
IMP.	ошиба́йся		ошиби́сь	
	ошиба́йтесь		ошиби́тесь	

PARTICIPLES

PRES. ACT.	ошиба́ющийся	———
PRES. PASS.	———	———
PAST ACT.	ошиба́вшийся	оши́бшийся
PAST PASS.	———	———
ADV. PART.	ошиба́ясь	оши́бясь

ПАДАТЬ / УПАСТЬ

FALL

	IMPERFECTIVE ASPECT		PERFECTIVE ASPECT	
INF.	па́дать		упа́сть	
PRES.	па́даю	па́даем		
	па́даешь	па́даете		
	па́дает	па́дают	———	
PAST	па́дал		упа́л	
	па́дала		упа́ла	
	па́дало		упа́ло	
	па́дали		упа́ли	
FUT.	бу́ду па́дать	бу́дем па́дать	упаду́	упадём
	бу́дешь па́дать	бу́дете па́дать	упадёшь	упадёте
	бу́дет па́дать	бу́дут па́дать	упадёт	упаду́т
SUBJ.	па́дал бы		упа́л бы	
	па́дала бы		упа́ла бы	
	па́дало бы		упа́ло бы	
	па́дали бы		упа́ли бы	
IMP.	па́дай		упади́	
	па́дайте		упади́те	

PARTICIPLES

PRES. ACT.	па́дающий	———
PRES. PASS.	———	———
PAST ACT.	па́давший	упа́вший
PAST PASS.	———	———
ADV. PART.	па́дая	упа́в(-ши)

SING

	IMPERFECTIVE ASPECT		PERFECTIVE ASPECT	
INF.	петь		спеть	
PRES.	пою́	поём		
	поёшь	поёте	———	
	поёт	пою́т		
PAST	пел		спел	
	пе́ла		спе́ла	
	пе́ло		спе́ло	
	пе́ли		спе́ли	
FUT.	бу́ду петь	бу́дем петь	спою́	споём
	бу́дешь петь	бу́дете петь	споёшь	споёте
	бу́дет петь	бу́дут петь	споёт	спою́т
SUBJ.	пел бы		спел бы	
	пе́ла бы		спе́ла бы	
	пе́ло бы		спе́ло бы	
	пе́ли бы		спе́ли бы	
IMP.	пой		спой	
	по́йте		спо́йте	

PARTICIPLES

PRES. ACT.	пою́щий	———
PRES. PASS.	———	———
PAST ACT.	пе́вший	спе́вший
PAST PASS.	———	спе́тый
ADV. PART.	———	спе́в(-ши)

ПЕЧЬ / ИСПЕЧЬ

BAKE

	IMPERFECTIVE ASPECT		PERFECTIVE ASPECT	
INF.	печь		испе́чь	
PRES.	пеку́	печём		
	печёшь	печёте	———	
	печёт	пеку́т		
PAST	пёк		испёк	
	пекла́		испекла́	
	пекло́		испекло́	
	пекли́		испекли́	
FUT.	бу́ду печь	бу́дем печь	испеку́	испечём
	бу́дешь печь	бу́дете печь	испечёшь	испечёте
	бу́дет печь	бу́дут печь	испечёт	испеку́т
SUBJ.	пёк бы		испёк бы	
	пекла́ бы		испекла́ бы	
	пекло́ бы		испекло́ бы	
	пекли́ бы		испекли́ бы	
IMP.	пеки́		испеки́	
	пеки́те		испеки́те	

PARTICIPLES

PRES. ACT.	пеку́щий	———
PRES. PASS.	———	———
PAST ACT.	пёкший	испёкший
PAST PASS.	———	испечённый (испечён, испечена́)
ADV. PART.	———	испёкши

WRITE

	IMPERFECTIVE ASPECT		PERFECTIVE ASPECT	
INF.	писáть		написáть	
PRES.	пишý	пи́шем		
	пи́шешь	пи́шете	———	
	пи́шет	пи́шут		
PAST	писáл		написáл	
	писáла		написáла	
	писáло		написáло	
	писáли		написáли	
FUT.	бýду писáть	бýдем писáть	напишý	напи́шем
	бýдешь писáть	бýдете писáть	напи́шешь	напи́шете
	бýдет писáть	бýдут писáть	напи́шет	напи́шут
SUBJ.	писáл бы		написáл бы	
	писáла бы		написáла бы	
	писáло бы		написáло бы	
	писáли бы		написáли бы	
IMP.	пиши́		напиши́	
	пиши́те		напиши́те	

PARTICIPLES

PRES. ACT.	пи́шущий	———
PRES. PASS.	———	———
PAST ACT.	писáвший	написáвший
PAST PASS.	———	напи́санный
ADV. PART.	———	написáв(-ши)

ПИТЬ / ВЫПИТЬ

DRINK

	IMPERFECTIVE ASPECT		PERFECTIVE ASPECT	
INF.	**пить**		**вы́пить**	
PRES.	**пью**	**пьём**		
	пьёшь	**пьёте**	———	
	пьёт	**пьют**		
PAST	**пил**		**вы́пил**	
	пила́		**вы́пила**	
	пи́ло		**вы́пило**	
	пи́ли		**вы́пили**	
FUT.	**бу́ду пить**	**бу́дем пить**	**вы́пью**	**вы́пьем**
	бу́дешь пить	**бу́дете пить**	**вы́пьешь**	**вы́пьете**
	бу́дет пить	**бу́дут пить**	**вы́пьет**	**вы́пьют**
SUBJ.	**пил бы**		**вы́пил бы**	
	пила́ бы		**вы́пила бы**	
	пи́ло бы		**вы́пило бы**	
	пи́ли бы		**вы́пили бы**	
IMP.	**пей**		**вы́пей**	
	пе́йте		**вы́пейте**	

PARTICIPLES

PRES. ACT.	**пью́щий**	———
PRES. PASS.	———	———
PAST ACT.	**пи́вший**	**вы́пивший**
PAST PASS.	———	**вы́питый**
ADV. PART.	———	**вы́пив(-ши)**

SWIM

IMPERFECTIVE

	INDETERMINATE		DETERMINATE	
INF.	**пла́вать**		**плыть**	
PRES.	**пла́ваю**	**пла́ваем**	**плыву́**	**плывём**
	пла́ваешь	**пла́ваете**	**плывёшь**	**плывёте**
	пла́вает	**пла́вают**	**плывёт**	**плыву́т**
PAST	**пла́вал**		**плыл**	
	пла́вала		**плыла́**	
	пла́вало		**плы́ло**	
	пла́вали		**плы́ли**	
FUT.	**бу́ду пла́вать**	**бу́дем пла́вать**	**бу́ду плыть**	**бу́дем плыть**
	бу́дешь пла́вать	**бу́дете пла́вать**	**бу́дешь плыть**	**бу́дете плыть**
	бу́дет пла́вать	**бу́дут пла́вать**	**бу́дет плыть**	**бу́дут плыть**
SUBJ.	**пла́вал бы**		**плыл бы**	
	пла́вала бы		**плыла́ бы**	
	пла́вало бы		**плы́ло бы**	
	пла́вали бы		**плы́ли бы**	
IMP.	**пла́вай**		**плыви́**	
	пла́вайте		**плыви́те**	

PARTICIPLES

PRES. ACT.	**пла́вающий**	**плыву́щий**
PRES. PASS.	———	———
PAST ACT	**пла́вавший**	**плы́вший**
PAST PASS.	———	———
ADV. PART.	**пла́вая**	**плывя́**

ПЛАКАТЬ / ЗАПЛАКАТЬ

WEEP

	IMPERFECTIVE ASPECT		PERFECTIVE ASPECT	
INF.	пла́кать		запла́кать	
PRES.	плачу́	пла́чем		
	пла́чешь	пла́чете	———	
	пла́чет	пла́чут		
PAST	пла́кал		запла́кал	
	пла́кала		запла́кала	
	пла́кало		запла́кало	
	пла́кали		запла́кали	
FUT.	бу́ду пла́кать	бу́дем пла́кать	запла́чу	запла́чем
	бу́дешь пла́кать	бу́дете пла́кать	запла́чешь	запла́чете
	бу́дет пла́кать	бу́дут пла́кать	запла́чет	запла́чут
SUBJ.	пла́кал бы		запла́кал бы	
	пла́кала бы		запла́кала бы	
	пла́кало бы		запла́кало бы	
	пла́кали бы		запла́кали бы	
IMP.	плачь		запла́чь	
	пла́чьте		запла́чьте	

PARTICIPLES

PRES. ACT.	пла́чущий	———
PRES. PASS.	———	———
PAST ACT.	пла́кавший	запла́кавший
PAST PASS.	———	———
ADV. PART.	пла́ча	запла́кав(-ши)

PAY

	IMPERFECTIVE ASPECT		PERFECTIVE ASPECT	
INF.	плати́ть		заплати́ть	
PRES.	плачу́	пла́тим		
	пла́тишь	пла́тите	———	
	пла́тит	пла́тят		
PAST	плати́л		заплати́л	
	плати́ла		заплати́ла	
	плати́ло		заплати́ло	
	плати́ли		заплати́ли	
FUT.	бу́ду плати́ть	бу́дем плати́ть	заплачу́	запла́тим
	бу́дешь плати́ть	бу́дете плати́ть	запла́тишь	запла́тите
	бу́дет плати́ть	бу́дут плати́ть	запла́тит	запла́тят
SUBJ.	плати́л бы		заплати́л бы	
	плати́ла бы		заплати́ла бы	
	плати́ло бы		заплати́ло бы	
	плати́ли бы		заплати́ли бы	
IMP.	плати́		заплати́	
	плати́те		заплати́те	

PARTICIPLES

PRES. ACT.	пла́тящий	———
PRES. PASS.	———	———
PAST ACT.	плати́вший	заплати́вший
PAST PASS.	———	запла́ченный
ADV. PART.	платя́	заплати́в(-ши)

ПОВТОРЯТЬ / ПОВТОРИТЬ

REPEAT

	IMPERFECTIVE ASPECT		PERFECTIVE ASPECT	
INF.	**повторя́ть**		**повтори́ть**	
PRES.	**повторя́ю**	**повторя́ем**		
	повторя́ешь	**повторя́ете**	———	
	повторя́ет	**повторя́ют**		
PAST	**повторя́л**		**повтори́л**	
	повторя́ла		**повтори́ла**	
	повторя́ло		**повтори́ло**	
	повторя́ли		**повтори́ли**	
FUT.	**бу́ду повторя́ть**	**бу́дем повторя́ть**	**повторю́**	**повтори́м**
	бу́дешь повторя́ть	**бу́дете повторя́ть**	**повтори́шь**	**повтори́те**
	бу́дет повторя́ть	**бу́дут повторя́ть**	**повтори́т**	**повторя́т**
SUBJ.	**повторя́л бы**		**повтори́л бы**	
	повторя́ла бы		**повтори́ла бы**	
	повторя́ло бы		**повтори́ло бы**	
	повторя́ли бы		**повтори́ли бы**	
IMP.	**повторя́й**		**повтори́**	
	повторя́йте		**повтори́те**	

PARTICIPLES

PRES. ACT.	**повторя́ющий**	———
PRES. PASS.	**повторя́емый**	———
PAST ACT.	**повторя́вший**	**повтори́вший**
PAST PASS.	———	**повторённый (повторён, повторена́)**
ADV. PART.	**повторя́я**	**повтори́в(-ши)**

BUY

	IMPERFECTIVE ASPECT		PERFECTIVE ASPECT	
INF.	покупа́ть		купи́ть	
PRES.	покупа́ю	покупа́ем		
	покупа́ешь	покупа́ете	———	
	покупа́ет	покупа́ют		
PAST	покупа́л		купи́л	
	покупа́ла		купи́ла	
	покупа́ло		купи́ло	
	покупа́ли		купи́ли	
FUT.	бу́ду покупа́ть	бу́дем покупа́ть	куплю́	ку́пим
	бу́дешь покупа́ть	бу́дете покупа́ть	ку́пишь	ку́пите
	бу́дет покупа́ть	бу́дут покупа́ть	ку́пит	ку́пят
SUBJ.	покупа́л бы		купи́л бы	
	покупа́ла бы		купи́ла бы	
	покупа́ло бы		купи́ло бы	
	покупа́ли бы		купи́ли бы	
IMP.	покупа́й		купи́	
	покупа́йте		купи́те	

PARTICIPLES

PRES. ACT.	покупа́ющий	———
PRES. PASS.	покупа́емый	———
PAST ACT.	покупа́вший	купи́вший
PAST PASS.	———	ку́пленный
ADV. PART.	покупа́я	купи́в(-ши)

ПОЛУЧАТЬ / ПОЛУЧИТЬ

RECEIVE

	IMPERFECTIVE ASPECT		PERFECTIVE ASPECT	
INF.	**получа́ть**		**получи́ть**	
PRES.	**получа́ю**	**получа́ем**		
	получа́ешь	**получа́ете**	———	
	получа́ет	**получа́ют**		
PAST	**получа́л**		**получи́л**	
	получа́ла		**получи́ла**	
	получа́ло		**получи́ло**	
	получа́ли		**получи́ли**	
FUT.	**бу́ду получа́ть**	**бу́дем получа́ть**	**получу́**	**полу́чим**
	бу́дешь получа́ть	**бу́дете получа́ть**	**полу́чишь**	**полу́чите**
	бу́дет получа́ть	**бу́дут получа́ть**	**полу́чит**	**полу́чат**
SUBJ.	**получа́л бы**		**получи́л бы**	
	получа́ла бы		**получи́ла бы**	
	получа́ло бы		**получи́ло бы**	
	получа́ли бы		**получи́ли бы**	
IMP.	**получа́й**		**получи́**	
	получа́йте		**получи́те**	

PARTICIPLES

PRES. ACT.	**получа́ющий**	———
PRES. PASS.	**получа́емый**	———
PAST ACT.	**получа́вший**	**получи́вший**
PAST PASS.	———	**полу́ченный**
ADV. PART.	**получа́я**	**получи́в(-ши)**

USE, ENJOY

	IMPERFECTIVE ASPECT		PERFECTIVE ASPECT	
INF.	по́льзоваться		воспо́льзоваться	
PRES.	по́льзуюсь	по́льзуемся		
	по́льзуешься	по́льзуетесь	———	
	по́льзуется	по́льзуются		
PAST	по́льзовался		воспо́льзовался	
	по́льзовалась		воспо́льзовалась	
	по́льзовалось		воспо́льзовалось	
	по́льзовались		воспо́льзовались	
FUT.	бу́ду	бу́дем	воспо́льзуюсь	воспо́льзуемся
	бу́дешь	бу́дете	воспо́льзуешься	воспо́льзуетесь
	бу́дет	бу́дут	воспо́льзуется	воспо́льзуются
	по́льзоваться	по́льзоваться		
SUBJ.	по́льзовался бы		воспо́льзовался бы	
	по́льзовалась бы		воспо́льзовалась бы	
	по́льзовалось бы		воспо́льзовалось бы	
	по́льзовались бы		воспо́льзовались бы	
IMP.	по́льзуйся		воспо́льзуйся	
	по́льзуйтесь		воспо́льзуйтесь	

PARTICIPLES

PRES. ACT.	по́льзующийся	———
PRES. PASS.	———	———
PAST ACT.	по́льзовавшийся	воспо́льзовавшийся
PAST PASS.	———	———
ADV. PART.	по́льзуясь	воспо́льзовавшись

ПОМНИТЬ

REMEMBER

	IMPERFECTIVE ASPECT		PERFECTIVE ASPECT
INF.	по́мнить		
PRES.	по́мню	по́мним	
	по́мнишь	по́мните	
	по́мнит	по́мнят	
PAST	по́мнил		
	по́мнила		
	по́мнило		
	по́мнили		
FUT.	бу́ду по́мнить	бу́дем по́мнить	
	бу́дешь по́мнить	бу́дете по́мнить	
	бу́дет по́мнить	бу́дут по́мнить	
SUBJ.	по́мнил бы		
	по́мнила бы		
	по́мнило бы		
	по́мнили бы		
IMP.	по́мни		
	по́мните		

PARTICIPLES

PRES. ACT. по́мнящий

PRES. PASS. ———

PAST ACT. по́мнивший

PAST PASS. ———

ADV. PART. по́мня

HELP

	IMPERFECTIVE ASPECT		PERFECTIVE ASPECT	
INF.	**помога́ть**		**помо́чь**	
PRES.	**помога́ю**	**помога́ем**	—	
	помога́ешь	**помога́ете**		
	помога́ет	**помога́ют**		
PAST	**помога́л**		**помо́г**	
	помога́ла		**помогла́**	
	помога́ло		**помогло́**	
	помога́ли		**помогли́**	
FUT.	**бу́ду помога́ть**	**бу́дем помога́ть**	**помогу́**	**помо́жем**
	бу́дешь помога́ть	**бу́дете помога́ть**	**помо́жешь**	**помо́жете**
	бу́дет помога́ть	**бу́дут помога́ть**	**помо́жет**	**помо́гут**
SUBJ.	**помога́л бы**		**помо́г бы**	
	помога́ла бы		**помогла́ бы**	
	помога́ло бы		**помогло́ бы**	
	помога́ли бы		**помогли́ бы**	
IMP.	**помога́й**		**помоги́**	
	помога́йте		**помоги́те**	

PARTICIPLES

PRES. ACT.	**помога́ющий**	—
PRES. PASS.	—	—
PAST ACT.	**помога́вший**	**помо́гший**
PAST PASS.	—	—
ADV. PART.	**помога́я**	—

ПОПРАВЛЯТЬ / ПОПРАВИТЬ
ПОПРАВЛЯТЬСЯ / ПОПРАВИТЬСЯ

CORRECT
GET WELL

	IMPERFECTIVE ASPECT		PERFECTIVE ASPECT	
INF.	**поправля́ть**		**попра́вить**	
PRES.	**поправля́ю**	**поправля́ем**		
	поправля́ешь	**поправля́ете**	———	
	поправля́ет	**поправля́ют**		
PAST	**поправля́л**		**попра́вил**	
	поправля́ла		**попра́вила**	
	поправля́ло		**попра́вило**	
	поправля́ли		**попра́вили**	
FUT.	**бу́ду поправля́ть**	**бу́дем поправля́ть**	**попра́влю**	**попра́вим**
	бу́дешь поправля́ть	**бу́дете поправля́ть**	**попра́вишь**	**попра́вите**
	бу́дет поправля́ть	**бу́дут поправля́ть**	**попра́вит**	**попра́вят**
SUBJ.	**поправля́л бы**		**попра́вил бы**	
	поправля́ла бы		**попра́вила бы**	
	поправля́ло бы		**попра́вило бы**	
	поправля́ли бы		**попра́вили бы**	
IMP.	**поправля́й**		**попра́вь**	
	поправля́йте		**попра́вьте**	

PARTICIPLES

PRES. ACT.	**поправля́ющий**	———
PRES. PASS.	**поправля́емый**	———
PAST ACT.	**поправля́вший**	**попра́вивший**
PAST PASS.	———	**попра́вленный**
ADV. PART.	**поправля́я**	**попра́вив(-ши)**

VISIT

	IMPERFECTIVE ASPECT		PERFECTIVE ASPECT	
INF.	**посеща́ть**		**посети́ть**	
PRES.	**посеща́ю**	**посеща́ем**	———	
	посеща́ешь	**посеща́ете**		
	посеща́ет	**посеща́ют**		
PAST	**посеща́л**		**посети́л**	
	посеща́ла		**посети́ла**	
	посеща́ло		**посети́ло**	
	посеща́ли		**посети́ли**	
FUT.	**бу́ду посеща́ть**	**бу́дем посеща́ть**	**посещу́**	**посети́м**
	бу́дешь посеща́ть	**бу́дете посеща́ть**	**посети́шь**	**посети́те**
	бу́дет посеща́ть	**бу́дут посеща́ть**	**посети́т**	**посетя́т**
SUBJ.	**посеща́л бы**		**посети́л бы**	
	посеща́ла бы		**посети́ла бы**	
	посеща́ло бы		**посети́ло бы**	
	посеща́ли бы		**посети́ли бы**	
IMP.	**посеща́й**		**посети́**	
	посеща́йте		**посети́те**	

PARTICIPLES

PRES. ACT.	**посеща́ющий**	———
PRES. PASS.	**посеща́емый**	———
PAST ACT.	**посеща́вший**	**посети́вший**
PAST PASS.	———	**посещённый (посещён, посещена́)**
ADV. PART.	**посеща́я**	**посети́в(-ши)**

ПОСТУПАТЬ / ПОСТУПИТЬ

ENROLL

	IMPERFECTIVE ASPECT		PERFECTIVE ASPECT	
INF.	поступа́ть		поступи́ть	
PRES.	поступа́ю	поступа́ем	———	
	поступа́ешь	поступа́ете		
	поступа́ет	поступа́ют		
PAST	поступа́л		поступи́л	
	поступа́ла		поступи́ла	
	поступа́ло		поступи́ло	
	поступа́ли		поступи́ли	
FUT.	бу́ду поступа́ть	бу́дем поступа́ть	поступлю́	посту́пим
	бу́дешь поступа́ть	бу́дете поступа́ть	посту́пишь	посту́пите
	бу́дет поступа́ть	бу́дут поступа́ть	посту́пит	посту́пят
SUBJ.	поступа́л бы		поступи́л бы	
	поступа́ла бы		поступи́ла бы	
	поступа́ло бы		поступи́ло бы	
	поступа́ли бы		поступи́ли бы	
IMP.	поступа́й		поступи́	
	поступа́йте		поступи́те	

PARTICIPLES

PRES. ACT.	поступа́ющий	———
PRES. PASS.	———	———
PAST ACT.	поступа́вший	поступи́вший
PAST PASS.	———	———
ADV. PART.	поступа́я	поступи́в(-ши)

SEND

	IMPERFECTIVE ASPECT		PERFECTIVE ASPECT	
INF.	посыла́ть		посла́ть	
PRES.	посыла́ю	посыла́ем	———	
	посыла́ешь	посыла́ете		
	посыла́ет	посыла́ют		
PAST	посыла́л		посла́л	
	посыла́ла		посла́ла	
	посыла́ло		посла́ло	
	посыла́ли		посла́ли	
FUT.	бу́ду посыла́ть	бу́дем посыла́ть	пошлю́	пошлём
	бу́дешь посыла́ть	бу́дете посыла́ть	пошлёшь	пошлёте
	бу́дет посыла́ть	бу́дут посыла́ть	пошлёт	пошлю́т
SUBJ.	посыла́л бы		посла́л бы	
	посыла́ла бы		посла́ла бы	
	посыла́ло бы		посла́ло бы	
	посыла́ли бы		посла́ли бы	
IMP.	посыла́й		пошли́	
	посыла́йте		пошли́те	

PARTICIPLES

PRES. ACT.	посыла́ющий	———
PRES. PASS.	посыла́емый	———
PAST ACT.	посыла́вший	посла́вший
PAST PASS.	———	по́сланный
ADV. PART.	посыла́я	посла́в(-ши)

ПРЕДПОЧИТАТЬ / ПРЕДПОЧЕСТЬ

PREFER

	IMPERFECTIVE ASPECT		PERFECTIVE ASPECT	
INF.	предпочита́ть		предпоче́сть	
PRES.	предпочита́ю	предпочита́ем		
	предпочита́ешь	предпочита́ете	———	
	предпочита́ет	предпочита́ют		
PAST	предпочита́л		предпочёл	
	предпочита́ла		предпочла́	
	предпочита́ло		предпочло́	
	предпочита́ли		предпочли́	
FUT.	бу́ду	бу́дем	предпочту́	предпочтём
	бу́дешь	бу́дете	предпочтёшь	предпочтёте
	бу́дет	бу́дут	предпочтёт	предпочту́т
	предпочита́ть	предпочита́ть		
SUBJ.	предпочита́л бы		предпочёл бы	
	предпочита́ла бы		предпочла́ бы	
	предпочита́ло бы		предпочло́ бы	
	предпочита́ли бы		предпочли́ бы	
IMP.	предпочита́й		предпочти́	
	предпочита́йте		предпочти́те	

PARTICIPLES

PRES. ACT.	предпочита́ющий	———
PRES. PASS.	предпочита́емый	———
PAST ACT.	предпочита́вший	———
PAST PASS.	———	предпочтённый (предпочтён, предпочтена́)
ADV. PART.	предпочита́я	предпочтя́

ATTRACT

	IMPERFECTIVE ASPECT		PERFECTIVE ASPECT	
INF.	привлека́ть		привле́чь	
PRES.	привлека́ю	привлека́ем		
	привлека́ешь	привлека́ете	———	
	привлека́ет	привлека́ют		
PAST	привлека́л		привлёк	
	привлека́ла		привлекла́	
	привлека́ло		привлекло́	
	привлека́ли		привлекли́	
FUT.	бу́ду привлека́ть	бу́дем привлека́ть	привлеку́	привлечём
	бу́дешь привлека́ть	бу́дете привлека́ть	привлечёшь	привлечёте
	бу́дет привлека́ть	бу́дут привлека́ть	привлечёт	привлеку́т
SUBJ.	привлека́л бы		привлёк бы	
	привлека́ла бы		привлекла́ бы	
	привлека́ло бы		привлекло́ бы	
	привлека́ли бы		привлекли́ бы	
IMP.	привлека́й		привлеки́	
	привлека́йте		привлеки́те	

PARTICIPLES

PRES. ACT.	привлека́ющий	———
PRES. PASS.	привлека́емый	———
PAST ACT.	привлека́вший	привлёкший
PAST PASS.	———	привлечённый (привлечён, привлечена́)
ADV. PART.	привлека́я	привлёкши

ПРИВЫКАТЬ / ПРИВЫКНУТЬ

BECOME ACCUSTOMED

	IMPERFECTIVE ASPECT		PERFECTIVE ASPECT	
INF.	**привыка́ть**		**привы́кнуть**	
PRES.	**привыка́ю**	**привыка́ем**		
	привыка́ешь	**привыка́ете**	———	
	привыка́ет	**привыка́ют**		
PAST	**привыка́л**		**привы́к**	
	привыка́ла		**привы́кла**	
	привыка́ло		**привы́кло**	
	привыка́ли		**привы́кли**	
FUT.	**бу́ду привыка́ть**	**бу́дем привыка́ть**	**привы́кну**	**привы́кнем**
	бу́дешь привыка́ть	**бу́дете привыка́ть**	**привы́кнешь**	**привы́кнете**
	бу́дет привыка́ть	**бу́дут привыка́ть**	**привы́кнет**	**привы́кнут**
SUBJ.	**привыка́л бы**		**привы́к бы**	
	привыка́ла бы		**привы́кла бы**	
	привыка́ло бы		**привы́кло бы**	
	привыка́ли бы		**привы́кли бы**	
IMP.	**привыка́й**		**привы́кни**	
	привыка́йте		**привы́кните**	

PARTICIPLES

	IMPERFECTIVE ASPECT	PERFECTIVE ASPECT
PRES. ACT.	**привыка́ющий**	———
PRES. PASS.	———	———
PAST ACT.	**привыка́вший**	**привы́кший**
PAST PASS.	———	———
ADV. PART.	**привыка́я**	**привы́кнув**

INVITE

	IMPERFECTIVE ASPECT		PERFECTIVE ASPECT	
INF.	приглаша́ть		пригласи́ть	
PRES.	приглаша́ю	приглаша́ем	———	
	приглаша́ешь	приглаша́ете		
	приглаша́ет	приглаша́ют		
PAST	приглаша́л		пригласи́л	
	приглаша́ла		пригласи́ла	
	приглаша́ло		пригласи́ло	
	приглаша́ли		пригласи́ли	
FUT.	бу́ду приглаша́ть	бу́дем приглаша́ть	приглашу́	пригласи́м
	бу́дешь приглаша́ть	бу́дете приглаша́ть	пригласи́шь	пригласи́те
	бу́дет приглаша́ть	бу́дут приглаша́ть	пригласи́т	приглася́т
SUBJ.	приглаша́л бы		пригласи́л бы	
	приглаша́ла бы		пригласи́ла бы	
	приглаша́ло бы		пригласи́ло бы	
	приглаша́ли бы		пригласи́ли бы	
IMP.	приглаша́й		пригласи́	
	приглаша́йте		пригласи́те	

PARTICIPLES

PRES. ACT.	приглаша́ющий	———
PRES. PASS.	приглаша́емый	———
PAST ACT.	приглаша́вший	пригласи́вший
PAST PASS.	———	приглашённый (приглашён, приглашена́)
ADV. PART.	приглаша́я	пригласи́в(-ши)

ПРИЗНАВАТЬ / ПРИЗНАТЬ

RECOGNIZE

	IMPERFECTIVE ASPECT		PERFECTIVE ASPECT	
INF.	признава́ть		призна́ть	
PRES.	признаю́	признаём	———	
	признаёшь	признаёте		
	признаёт	признаю́т		
PAST	признава́л		призна́л	
	признава́ла		призна́ла	
	признава́ло		призна́ло	
	признава́ли		призна́ли	
FUT.	бу́ду признава́ть	бу́дем признава́ть	призна́ю	призна́ем
	бу́дешь признава́ть	бу́дете признава́ть	призна́ешь	призна́ете
	бу́дет признава́ть	бу́дут признава́ть	призна́ет	призна́ют
SUBJ.	признава́л бы		призна́л бы	
	признава́ла бы		призна́ла бы	
	признава́ло бы		призна́ло бы	
	признава́ли бы		призна́ли бы	
IMP.	признава́й		призна́й	
	признава́йте		призна́йте	

PARTICIPLES

PRES. ACT.	признаю́щий	———
PRES. PASS.	признава́емый	———
PAST ACT.	признава́вший	призна́вший
PAST PASS.	———	при́знанный
ADV. PART.	признава́я	призна́в(-ши)

COME ON FOOT

	IMPERFECTIVE ASPECT		PERFECTIVE ASPECT	
INF.	приходи́ть		прийти́	
PRES.	прихожу́	прихо́дим		
	прихо́дишь	прихо́дите	———	
	прихо́дит	прихо́дят		
PAST	приходи́л		пришёл	
	приходи́ла		пришла́	
	приходи́ло		пришло́	
	приходи́ли		пришли́	
FUT.	бу́ду приходи́ть	бу́дем приходи́ть	приду́	придём
	бу́дешь приходи́ть	бу́дете приходи́ть	придёшь	придёте
	бу́дет приходи́ть	бу́дут приходи́ть	придёт	приду́т
SUBJ.	приходи́л бы		пришёл бы	
	приходи́ла бы		пришла́ бы	
	приходи́ло бы		пришло́ бы	
	приходи́ли бы		пришли́ бы	
IMP.	приходи́		приди́	
	приходи́те		приди́те	

PARTICIPLES

PRES. ACT.	приходя́щий	———
PRES. PASS.	———	———
PAST ACT.	приходи́вший	прише́дший
PAST PASS.	———	———
ADV. PART.	приходя́	придя́

ПРОВЕРЯТЬ / ПРОВЕРИТЬ

VERIFY

	IMPERFECTIVE ASPECT		PERFECTIVE ASPECT	
INF.	проверя́ть		прове́рить	
PRES.	проверя́ю	проверя́ем		
	проверя́ешь	проверя́ете	———	
	проверя́ет	проверя́ют		
PAST	проверя́л		прове́рил	
	проверя́ла		прове́рила	
	проверя́ло		прове́рило	
	проверя́ли		прове́рили	
FUT.	бу́ду проверя́ть	бу́дем проверя́ть	прове́рю	прове́рим
	бу́дешь проверя́ть	бу́дете проверя́ть	прове́ришь	прове́рите
	бу́дет проверя́ть	бу́дут проверя́ть	прове́рит	прове́рят
SUBJ.	проверя́л бы		прове́рил бы	
	проверя́ла бы		прове́рила бы	
	проверя́ло бы		прове́рило бы	
	проверя́ли бы		прове́рили бы	
IMP.	проверя́й		прове́рь	
	проверя́йте		прове́рьте	

PARTICIPLES

PRES. ACT.	проверя́ющий	———
PRES. PASS.	проверя́емый	———
PAST ACT.	проверя́вший	прове́ривший
PAST PASS.	———	прове́ренный
ADV. PART.	проверя́я	прове́рив(-ши)

CONTINUE

	IMPERFECTIVE ASPECT		PERFECTIVE ASPECT	
INF.	продолжа́ть		продо́лжить	
PRES.	продолжа́ю	продолжа́ем		
	продолжа́ешь	продолжа́ете	———	
	продолжа́ет	продолжа́ют		
PAST	продолжа́л		продо́лжил	
	продолжа́ла		продо́лжила	
	продолжа́ло		продо́лжило	
	продолжа́ли		продо́лжили	
FUT.	бу́ду продолжа́ть	бу́дем продолжа́ть	продо́лжу	продо́лжим
	бу́дешь продолжа́ть	бу́дете продолжа́ть	продо́лжишь	продо́лжите
	бу́дет продолжа́ть	бу́дут продолжа́ть	продо́лжит	продо́лжат
SUBJ.	продолжа́л бы		продо́лжил бы	
	продолжа́ла бы		продо́лжила бы	
	продолжа́ло бы		продо́лжило бы	
	продолжа́ли бы		продо́лжили бы	
IMP.	продолжа́й		———	
	продолжа́йте		———	

PARTICIPLES

PRES. ACT.	продолжа́ющий	———
PRES. PASS.	продолжа́емый	———
PAST ACT.	продолжа́вший	продо́лживший
PAST PASS.	———	продо́лженный
ADV. PART.	продолжа́я	продо́лжив(-ши)

ПРОСИТЬ / ПОПРОСИТЬ

REQUEST

	IMPERFECTIVE ASPECT		PERFECTIVE ASPECT	
INF.	**проси́ть**		**попроси́ть**	
PRES.	**прошу́**	**про́сим**		
	про́сишь	**про́сите**	———	
	про́сит	**про́сят**		
PAST	**проси́л**		**попроси́л**	
	проси́ла		**попроси́ла**	
	проси́ло		**попроси́ло**	
	проси́ли		**попроси́ли**	
FUT.	**бу́ду проси́ть**	**бу́дем проси́ть**	**попрошу́**	**попро́сим**
	бу́дешь проси́ть	**бу́дете проси́ть**	**попро́сишь**	**попро́сите**
	бу́дет проси́ть	**бу́дут проси́ть**	**попро́сит**	**попро́сят**
SUBJ.	**проси́л бы**		**попроси́л бы**	
	проси́ла бы		**попроси́ла бы**	
	проси́ло бы		**попроси́ло бы**	
	проси́ли бы		**попроси́ли бы**	
IMP.	**проси́**		**попроси́**	
	проси́те		**попроси́те**	

PARTICIPLES

PRES. ACT.	**прося́щий**	———
PRES. PASS.	———	———
PAST ACT.	**проси́вший**	**попроси́вший**
PAST PASS.	———	**попро́шенный**
ADV. PART.	**прося́**	**попроси́в(-ши)**

CATCH COLD

	IMPERFECTIVE ASPECT		PERFECTIVE ASPECT	
INF.	простужа́ться		простуди́ться	
PRES.	простужа́юсь	простужа́емся	———	
	простужа́ешься	простужа́етесь		
	простужа́ется	простужа́ются		
PAST	простужа́лся		простуди́лся	
	простужа́лась		простуди́лась	
	простужа́лось		простуди́лось	
	простужа́лись		простуди́лись	
FUT.	бу́ду	бу́дем	простужу́сь	просту́димся
	бу́дешь	бу́дете	просту́дишься	просту́дитесь
	бу́дет	бу́дут	просту́дится	просту́дятся
	простужа́ться	простужа́ться		
SUBJ.	простужа́лся бы		простуди́лся бы	
	простужа́лась бы		простуди́лась бы	
	простужа́лось бы		простуди́лось бы	
	простужа́лись бы		простуди́лись бы	
IMP.	простужа́йся		простуди́сь	
	простужа́йтесь		простуди́тесь	

PARTICIPLES

PRES. ACT.	простужа́ющийся	———
PRES. PASS.	———	———
PAST ACT.	простужа́вшийся	простуди́вшийся
PAST PASS.	———	———
ADV. PART.	простужа́ясь	простуди́вшись

ПРОСЫПАТЬСЯ / ПРОСНУТЬСЯ

WAKE UP

	IMPERFECTIVE ASPECT		PERFECTIVE ASPECT	
INF.	**просыпа́ться**		**проснў́ться**	
PRES.	**просыпа́юсь**	**просыпа́емся**		
	просыпа́ешься	**просыпа́етесь**		
	просыпа́ется	**просыпа́ются**		
PAST	**просыпа́лся**		**просну́лся**	
	просыпа́лась		**просну́лась**	
	просыпа́лось		**просну́лось**	
	просыпа́лись		**просну́лись**	
FUT.	**бу́ду просыпа́ться**	**бу́дем просыпа́ться**	**просну́сь**	**проснёмся**
	бу́дешь просыпа́ться	**бу́дете просыпа́ться**	**проснёшься**	**проснётесь**
	бу́дет просыпа́ться	**бу́дут просыпа́ться**	**проснётся**	**просну́тся**
SUBJ.	**просыпа́лся бы**		**просну́лся бы**	
	просыпа́лась бы		**просну́лась бы**	
	просыпа́лось бы		**просну́лось бы**	
	просыпа́лись бы		**просну́лись бы**	
IMP.	**просыпа́йся**		**просни́сь**	
	просыпа́йтесь		**просни́тесь**	

PARTICIPLES

PRES. ACT.	**просыпа́ющийся**	———
PRES. PASS.	———	———
PAST ACT.	**просыпа́вшийся**	**просну́вшийся**
PAST PASS.	———	———
ADV. PART.	**просыпа́ясь**	**просну́вшись**

FORGIVE
SAY FAREWELL

	IMPERFECTIVE ASPECT		PERFECTIVE ASPECT	
INF.	**проща́ть**		**прости́ть**	
PRES.	**проща́ю**	**проща́ем**		
	проща́ешь	**проща́ете**	———	
	проща́ет	**проща́ют**		
PAST	**проща́л**		**прости́л**	
	проща́ла		**прости́ла**	
	проща́ло		**прости́ло**	
	проща́ли		**прости́ли**	
FUT.	**бу́ду проща́ть**	**бу́дем проща́ть**	**прощу́**	**прости́м**
	бу́дешь проща́ть	**бу́дете проща́ть**	**прости́шь**	**прости́те**
	бу́дет проща́ть	**бу́дут проща́ть**	**прости́т**	**простя́т**
SUBJ.	**проща́л бы**		**прости́л бы**	
	проща́ла бы		**прости́ла бы**	
	проща́ло бы		**прости́ло бы**	
	проща́ли бы		**прости́ли бы**	
IMP.	**проща́й**		**прости́**	
	проща́йте		**прости́те**	

PARTICIPLES

PRES. ACT.	**проща́ющий**	———
PRES. PASS.	**проща́емый**	———
PAST ACT.	**проща́вший**	**прости́вший**
PAST PASS.	———	**прощённый (прощён, прощена́)**
ADV. PART.	**проща́я**	**прости́в(-ши)**

JUMP

	IMPERFECTIVE ASPECT		PERFECTIVE ASPECT	
INF.	пры́гать		пры́гнуть	
PRES.	пры́гаю	пры́гаем		
	пры́гаешь	пры́гаете	———	
	пры́гает	пры́гают		
PAST	пры́гал		пры́гнул	
	пры́гала		пры́гнула	
	пры́гало		пры́гнуло	
	пры́гали		пры́гнули	
FUT.	бу́ду пры́гать	бу́дем пры́гать	пры́гну	пры́гнем
	бу́дешь пры́гать	бу́дете пры́гать	пры́гнешь	пры́гнете
	бу́дет пры́гать	бу́дут пры́гать	пры́гнет	пры́гнут
SUBJ.	пры́гал бы		пры́гнул бы	
	пры́гала бы		пры́гнула бы	
	пры́гало бы		пры́гнуло бы	
	пры́гали бы		пры́гнули бы	
IMP.	пры́гай		пры́гни	
	пры́гайте		пры́гните	

PARTICIPLES

PRES. ACT.	пры́гающий	———
PRES. PASS.	———	———
PAST ACT.	пры́гавший	пры́гнувший
PAST PASS.	———	———
ADV. PART.	пры́гая	пры́гнув(-ши)

ПРЯТАТЬ / СПРЯТАТЬ

HIDE

	IMPERFECTIVE ASPECT		PERFECTIVE ASPECT	
INF.	**пря́тать**		**спря́тать**	
PRES.	**пря́чу**	**пря́чем**		
	пря́чешь	**пря́чете**	———	
	пря́чет	**пря́чут**		
PAST	**пря́тал**		**спря́тал**	
	пря́тала		**спря́тала**	
	пря́тало		**спря́тало**	
	пря́тали		**спря́тали**	
FUT.	**бу́ду пря́тать**	**бу́дем пря́тать**	**спря́чу**	**спря́чем**
	бу́дешь пря́тать	**бу́дете пря́тать**	**спря́чешь**	**спря́чете**
	бу́дет пря́тать	**бу́дут пря́тать**	**спря́чет**	**спря́чут**
SUBJ.	**пря́тал бы**		**спря́тал бы**	
	пря́тала бы		**спря́тала бы**	
	пря́тало бы		**спря́тало бы**	
	пря́тали бы		**спря́тали бы**	
IMP.	**прячь**		**спрячь**	
	пря́чьте		**спря́чьте**	

PARTICIPLES

PRES. ACT.	**пря́чущий**	———
PRES. PASS.	———	———
PAST ACT.	**пря́тавший**	**спря́тавший**
PAST PASS.	———	**спря́танный**
ADV. PART.	**пря́ча**	**спря́тав(-ши)**

ПУТЕШЕСТВОВАТЬ / ПОПУТЕШЕСТВОВАТЬ

TRAVEL

	IMPERFECTIVE ASPECT		PERFECTIVE ASPECT	
INF.	путеше́ствовать		попутеше́ствовать	
PRES.	путеше́ствую	путеше́ствуем		
	путеше́ствуешь	путеше́ствуете	———	
	путеше́ствует	путеше́ствуют		
PAST	путеше́ствовал		попутеше́ствовал	
	путеше́ствовала		попутеше́ствовала	
	путеше́ствовало		попутеше́ствовало	
	путеше́ствовали		попутеше́ствовали	
FUT.	бу́ду	бу́дем	попутеше́ствую	попутеше́ствуем
	бу́дешь	бу́дете	попутеше́ствуешь	попутеше́ствуете
	бу́дет	бу́дут	попутеше́ствует	попутеше́ствуют
	путеше́ствовать	путеше́ствовать		
SUBJ.	путеше́ствовал бы		попутеше́ствовал бы	
	путеше́ствовала бы		попутеше́ствовала бы	
	путеше́ствовало бы		попутеше́ствовало бы	
	путеше́ствовали бы		попутеше́ствовали бы	
IMP.	путеше́ствуй		попутеше́ствуй	
	путеше́ствуйте		попутеше́ствуйте	

PARTICIPLES

PRES. ACT.	путеше́ствующий	———
PRES. PASS.	———	———
PAST ACT.	путеше́ствовавший	попутеше́ствовавший
PAST PASS.	———	———
ADV. PART.	путеше́ствуя	попутеше́ствовав(-ши)

WORK

	IMPERFECTIVE ASPECT		PERFECTIVE ASPECT	
INF.	рабо́тать		порабо́тать	
PRES.	рабо́таю	рабо́таем	———	
	рабо́таешь	рабо́таете		
	рабо́тает	рабо́тают		
PAST	рабо́тал		порабо́тал	
	рабо́тала		порабо́тала	
	рабо́тало		порабо́тало	
	рабо́тали		порабо́тали	
FUT.	бу́ду рабо́тать	бу́дем рабо́тать	порабо́таю	порабо́таем
	бу́дешь рабо́тать	бу́дете рабо́тать	порабо́таешь	порабо́таете
	бу́дет рабо́тать	бу́дут рабо́тать	порабо́тает	порабо́тают
SUBJ.	рабо́тал бы		порабо́тал бы	
	рабо́тала бы		порабо́тала бы	
	рабо́тало бы		порабо́тало бы	
	рабо́тали бы		порабо́тали бы	
IMP.	рабо́тай		порабо́тай	
	рабо́тайте		порабо́тайте	

PARTICIPLES

PRES. ACT.	рабо́тающий	———
PRES. PASS.	———	———
PAST ACT.	рабо́тавший	порабо́тавший
PAST PASS.	———	———
ADV. PART.	рабо́тая	порабо́тав(-ши)

РАЗРУШАТЬ/РАЗРУШИТЬ

DESTROY

	IMPERFECTIVE ASPECT		PERFECTIVE ASPECT	
INF.	**разруша́ть**		**разру́шить**	
PRES.	**разруша́ю**	**разруша́ем**		
	разруша́ешь	**разруша́ете**	———	
	разруша́ет	**разруша́ют**		
PAST	**разруша́л**		**разру́шил**	
	разруша́ла		**разру́шила**	
	разруша́ло		**разру́шило**	
	разруша́ли		**разру́шили**	
FUT.	**бу́ду разруша́ть**	**бу́дем разруша́ть**	**разру́шу**	**разру́шим**
	бу́дешь разруша́ть	**бу́дете разруша́ть**	**разру́шишь**	**разру́шите**
	бу́дет разруша́ть	**бу́дут разруша́ть**	**разру́шит**	**разру́шат**
SUBJ.	**разруша́л бы**		**разру́шил бы**	
	разруша́ла бы		**разру́шила бы**	
	разруша́ло бы		**разру́шило бы**	
	разруша́ли бы		**разру́шили бы**	
IMP.	**разруша́й**		**разру́шь**	
	разруша́йте		**разру́шьте**	

PARTICIPLES

PRES. ACT.	**разруша́ющий**	———
PRES. PASS.	**разруша́емый**	———
PAST ACT.	**разруша́вший**	**разру́шивший**
PAST PASS.	———	**разру́шенный**
ADV. PART.	**разруша́я**	**разру́шив(-ши)**

NARRATE

	IMPERFECTIVE ASPECT		PERFECTIVE ASPECT	
INF.	**расска́зывать**		**рассказа́ть**	
PRES.	**расска́зываю**	**расска́зываем**	——	
	расска́зываешь	**расска́зываете**		
	расска́зывает	**расска́зывают**		
PAST	**расска́зывал**		**рассказа́л**	
	расска́зывала		**рассказа́ла**	
	расска́зывало		**рассказа́ло**	
	расска́зывали		**рассказа́ли**	
FUT.	**бу́ду расска́зывать**	**бу́дем расска́зывать**	**расскажу́**	**расска́жем**
	бу́дешь расска́зывать	**бу́дете расска́зывать**	**расска́жешь**	**расска́жете**
	бу́дет расска́зывать	**бу́дут расска́зывать**	**расска́жет**	**расска́жут**
SUBJ.	**расска́зывал бы**		**рассказа́л бы**	
	расска́зывала бы		**рассказа́ла бы**	
	расска́зывало бы		**рассказа́ло бы**	
	расска́зывали бы		**рассказа́ли бы**	
IMP.	**расска́зывай**		**расскажи́**	
	расска́зывайте		**расскажи́те**	

PARTICIPLES

PRES. ACT.	**расска́зывающий**	——
PRES. PASS.	**расска́зываемый**	——
PAST ACT.	**расска́зывавший**	**рассказа́вший**
PAST PASS.	——	**расска́занный**
ADV. PART.	**расска́зывая**	**рассказа́в(-ши)**

РАСТИ / ВЫРАСТИ

GROW / GROW UP

	IMPERFECTIVE ASPECT		PERFECTIVE ASPECT	
INF.	**расти́**		**вы́расти**	
PRES.	**расту́**	**растём**		
	растёшь	**растёте**	———	
	растёт	**расту́т**		
PAST	**рос**		**вы́рос**	
	росла́		**вы́росла**	
	росло́		**вы́росло**	
	росли́		**вы́росли**	
FUT.	**бу́ду расти́**	**бу́дем расти́**	**вы́расту**	**вы́растем**
	бу́дешь расти́	**бу́дете расти́**	**вы́растешь**	**вы́растете**
	бу́дет расти́	**бу́дут расти́**	**вы́растет**	**вы́растут**
SUBJ.	**ро́с бы**		**вы́рос бы**	
	росла́ бы		**вы́росла бы**	
	росло́ бы		**вы́росло бы**	
	росли́ бы		**вы́росли бы**	
IMP.	**расти́**		**вы́расти**	
	расти́те		**вы́растите**	

PARTICIPLES

PRES. ACT.	**расту́щий**	———
PRES. PASS.	———	———
PAST ACT.	**ро́сший**	**вы́росший**
PAST PASS	———	———
ADV. PART.	———	**вы́росши**

TEAR

	IMPERFECTIVE ASPECT		PERFECTIVE ASPECT
INF.	**рвать**		
PRES.	**рву**	**рвём**	
	рвёшь	**рвёте**	
	рвёт	**рвут**	
PAST	**рвал**		
	рвала́		
	рва́ло		
	рва́ли		
FUT.	**бу́ду рвать**	**бу́дем рвать**	
	бу́дешь рвать	**бу́дете рвать**	
	бу́дет рвать	**бу́дут рвать**	
SUBJ.	**рвал бы**		
	рвала́ бы		
	рва́ло бы		
	рва́ли бы		
IMP.	**рви**		
	рви́те		

PARTICIPLES

PRES. ACT.	**рву́щий**
PRES. PASS.	———
PAST ACT.	**рва́вший**
PAST PASS.	———
ADV. PART.	———

CUT

	IMPERFECTIVE ASPECT		PERFECTIVE ASPECT	
INF.	ре́зать		разре́зать	
PRES.	ре́жу	ре́жем	———	
	ре́жешь	ре́жете		
	ре́жет	ре́жут		
PAST	ре́зал		разре́зал	
	ре́зала		разре́зала	
	ре́зало		разре́зало	
	ре́зали		разре́зали	
FUT.	бу́ду ре́зать	бу́дем ре́зать	разре́жу	разре́жем
	бу́дешь ре́зать	бу́дете ре́зать	разре́жешь	разре́жете
	бу́дет ре́зать	бу́дут ре́зать	разре́жет	разре́жут
SUBJ.	ре́зал бы		разре́зал бы	
	ре́зала бы		разре́зала бы	
	ре́зало бы		разре́зало бы	
	ре́зали бы		разре́зали бы	
IMP.	режь		разре́жь	
	ре́жьте		разре́жьте	

PARTICIPLES

PRES. ACT.	ре́жущий	———
PRES. PASS.	———	———
PAST ACT.	ре́завший	разре́завший
PAST PASS.	———	разре́занный
ADV. PART.	———	разре́зав(-ши)

SOLVE

	IMPERFECTIVE ASPECT		PERFECTIVE ASPECT	
INF.	реша́ть		реши́ть	
PRES.	реша́ю	реша́ем		
	реша́ешь	реша́ете	———	
	реша́ет	реша́ют		
PAST	реша́л		реши́л	
	реша́ла		реши́ла	
	реша́ло		реши́ло	
	реша́ли		реши́ли	
FUT.	бу́ду реша́ть	бу́дем реша́ть	решу́	реши́м
	бу́дешь реша́ть	бу́дете реша́ть	реши́шь	реши́те
	бу́дет реша́ть	бу́дут реша́ть	реши́т	реша́т
SUBJ.	реша́л бы		реши́л бы	
	реша́ла бы		реши́ла бы	
	реша́ло бы		реши́ло бы	
	реша́ли бы		реши́ли бы	
IMP.	реша́й		реши́	
	реша́йте		реши́те	

PARTICIPLES

PRES. ACT.	реша́ющий	———
PRES. PASS.	реша́емый	———
PAST ACT.	реша́вший	реши́вший
PAST PASS.	———	решённый (решён, решена́)
ADV. PART.	реша́я	реши́в(-ши)

РИСОВАТЬ / НАРИСОВАТЬ

DRAW

	IMPERFECTIVE ASPECT		PERFECTIVE ASPECT	
INF.	**рисова́ть**		**нарисова́ть**	
PRES.	**рису́ю**	**рису́ем**		
	рису́ешь	**рису́ете**	———	
	рису́ет	**рису́ют**		
PAST	**рисова́л**		**нарисова́л**	
	рисова́ла		**нарисова́ла**	
	рисова́ло		**нарисова́ло**	
	рисова́ли		**нарисова́ли**	
FUT.	**бу́ду рисова́ть**	**бу́дем рисова́ть**	**нарису́ю**	**нарису́ем**
	бу́дешь рисова́ть	**бу́дете рисова́ть**	**нарису́ешь**	**нарису́ете**
	бу́дет рисова́ть	**бу́дут рисова́ть**	**нарису́ет**	**нарису́ют**
SUBJ.	**рисова́л бы**		**нарисова́л бы**	
	рисова́ла бы		**нарисова́ла бы**	
	рисова́ло бы		**нарисова́ло бы**	
	рисова́ли бы		**нарисова́ли бы**	
IMP.	**рису́й**		**нарису́й**	
	рису́йте		**нарису́йте**	

PARTICIPLES

PRES. ACT.	**рису́ющий**	———
PRES. PASS.	**рису́емый**	———
PAST ACT.	**рисова́вший**	**нарисова́вший**
PAST PASS.	———	**нарисо́ванный**
ADV. PART.	**рису́я**	**нарисова́в(-ши)**

BE BORN

	IMPERFECTIVE ASPECT		PERFECTIVE ASPECT	
INF.	**рождáться**		**роди́ться**	
PRES.	**рождáюсь**	**рождáемся**		
	рождáешься	**рождáетесь**	——	
	рождáется	**рождáются**		
PAST	**рождáлся**		**роди́лся (родился́)**	
	рождáлась		**родилáсь (роди́лась)**	
	рождáлось		**родилóсь (роди́лось)**	
	рождáлись		**родили́сь (роди́лись)**	
FUT.	**бýду рождáться**	**бýдем рождáться**	**рожýсь**	**роди́мся**
	бýдешь рождáться	**бýдете рождáться**	**роди́шься**	**роди́тесь**
	бýдет рождáться	**бýдут рождáться**	**роди́тся**	**родя́тся**
SUBJ.	**рождáлся бы**		**роди́лся (родился́) бы**	
	рождáлась бы		**родилáсь (роди́лась) бы**	
	рождáлось бы		**родилóсь (роди́лось) бы**	
	рождáлись бы		**родили́сь (роди́лись) бы**	
IMP.	**рождáйся**		**роди́сь**	
	рождáйтесь		**роди́тесь**	

PARTICIPLES

PRES. ACT.	**рождáющийся**	——
PRES. PASS.	——	——
PAST ACT.	**рождáвшийся**	**роди́вшийся**
PAST PASS.	——	——
ADV. PART.	**рождáясь**	**роди́вшись**

САДИТЬСЯ / СЕСТЬ

SIT DOWN

	IMPERFECTIVE ASPECT		PERFECTIVE ASPECT	
INF.	сади́ться		сесть	
PRES.	сажу́сь	сади́мся		
	сади́шься	сади́тесь	———	
	сади́тся	садя́тся		
PAST	сади́лся		сел	
	сади́лась		се́ла	
	сади́лось		се́ло	
	сади́лись		се́ли	
FUT.	бу́ду сади́ться	бу́дем сади́ться	ся́ду	ся́дем
	бу́дешь сади́ться	бу́дете сади́ться	ся́дешь	ся́дете
	бу́дет сади́ться	бу́дут сади́ться	ся́дет	ся́дут
SUBJ.	сади́лся бы		сел бы	
	сади́лась бы		се́ла бы	
	сади́лось бы		се́ло бы	
	сади́лись бы		се́ли бы	
IMP.	сади́сь		сядь	
	сади́тесь		ся́дьте	

PARTICIPLES

PRES. ACT.	садя́щийся	———
PRES. PASS.	———	———
PAST ACT.	сади́вшийся	се́вший
PAST PASS.	———	———
ADV. PART.	садя́сь	се́в (-ши)

GET ANGRY

	IMPERFECTIVE ASPECT		PERFECTIVE ASPECT	
INF.	серди́ться		рассерди́ться	
PRES.	сержу́сь	се́рдимся		
	се́рдишься	се́рдитесь	———	
	се́рдится	се́рдятся		
PAST	серди́лся		рассерди́лся	
	серди́лась		рассерди́лась	
	серди́лось		рассерди́лось	
	серди́лись		рассерди́лись	
FUT.	бу́ду серди́ться	бу́дем серди́ться	рассержу́сь	рассе́рдимся
	бу́дешь серди́ться	бу́дете серди́ться	рассе́рдишься	рассе́рдитесь
	бу́дет серди́ться	бу́дут серди́ться	рассе́рдится	рассе́рдятся
SUBJ.	серди́лся бы		рассерди́лся бы	
	серди́лась бы		рассерди́лась бы	
	серди́лось бы		рассерди́лось бы	
	серди́лись бы		рассерди́лись бы	
IMP.	серди́сь		рассерди́сь	
	серди́тесь		рассерди́тесь	

PARTICIPLES

PRES. ACT.	сердя́щийся	———
PRES. PASS.	———	———
PAST ACT.	серди́вшийся	рассерди́вшийся
PAST PASS.	———	———
ADV. PART.	сердя́сь	рассерди́вшись

СИДЕТЬ / ПОСИДЕТЬ

BE SITTING

	IMPERFECTIVE ASPECT		PERFECTIVE ASPECT	
INF.	сиде́ть		посиде́ть	
PRES.	сижу́	сиди́м		
	сиди́шь	сиди́те	———	
	сиди́т	сидя́т		
PAST	сиде́л		посиде́л	
	сиде́ла		посиде́ла	
	сиде́ло		посиде́ло	
	сиде́ли		посиде́ли	
FUT.	бу́ду сиде́ть	бу́дем сиде́ть	посижу́	посиди́м
	бу́дешь сиде́ть	бу́дете сиде́ть	посиди́шь	посиди́те
	бу́дет сиде́ть	бу́дут сиде́ть	посиди́т	посидя́т
SUBJ.	сиде́л бы		посиде́л бы	
	сиде́ла бы		посиде́ла бы	
	сиде́ло бы		посиде́ло бы	
	сиде́ли бы		посиде́ли бы	
IMP.	сиди́		посиди́	
	сиди́те		посиди́те	

PARTICIPLES

PRES. ACT.	сидя́щий	———
PRES. PASS.	———	———
PAST ACT.	сиде́вший	посиде́вший
PAST PASS.	———	———
ADV. PART.	си́дя	посиде́в(-ши)

FOLLOW

	IMPERFECTIVE ASPECT		PERFECTIVE ASPECT	
INF.	**сле́довать**		**после́довать**	
PRES.	**сле́дую**	**сле́дуем**		
	сле́дуешь	**сле́дуете**	———	
	сле́дует	**сле́дуют**		
PAST	**сле́довал**		**после́довал**	
	сле́довала		**после́довала**	
	сле́довало		**после́довало**	
	сле́довали		**после́довали**	
FUT.	**бу́ду сле́довать**	**бу́дем сле́довать**	**после́дую**	**после́дуем**
	бу́дешь сле́довать	**бу́дете сле́довать**	**после́дуешь**	**после́дуете**
	бу́дет сле́довать	**бу́дут сле́довать**	**после́дует**	**после́дуют**
SUBJ.	**сле́довал бы**		**после́довал бы**	
	сле́довала бы		**после́довала бы**	
	сле́довало бы		**после́довало бы**	
	сле́довали бы		**после́довали бы**	
IMP.	**сле́дуй**		**после́дуй**	
	сле́дуйте		**после́дуйте**	

PARTICIPLES

PRES. ACT.	**сле́дующий**	———
PRES. PASS.	———	———
PAST ACT.	**сле́довавший**	**после́довавший**
PAST PASS.	———	———
ADV. PART.	**сле́дуя**	**после́довав(-ши)**

СЛУШАТЬ / ПОСЛУШАТЬ

LISTEN

	IMPERFECTIVE ASPECT		PERFECTIVE ASPECT	
INF.	слу́шать		послу́шать	
PRES.	слу́шаю	слу́шаем		
	слу́шаешь	слу́шаете	———	
	слу́шает	слу́шают		
PAST	слу́шал		послу́шал	
	слу́шала		послу́шала	
	слу́шало		послу́шало	
	слу́шали		послу́шали	
FUT.	бу́ду слу́шать	бу́дем слу́шать	послу́шаю	послу́шаем
	бу́дешь слу́шать	бу́дете слу́шать	послу́шаешь	послу́шаете
	бу́дет слу́шать	бу́дут слу́шать	послу́шает	послу́шают
SUBJ.	слу́шал бы		послу́шал бы	
	слу́шала бы		послу́шала бы	
	слу́шало бы		послу́шало бы	
	слу́шали бы		послу́шали бы	
IMP.	слу́шай		послу́шай	
	слу́шайте		послу́шайте	

PARTICIPLES

PRES. ACT.	слу́шающий	———
PRES. PASS.	———	———
PAST ACT.	слу́шавший	послу́шавший
PAST PASS.	———	———
ADV. PART.	слу́шая	послу́шав(-ши)

HEAR/CATCH SOUND OF

	IMPERFECTIVE ASPECT		PERFECTIVE ASPECT	
INF.	слы́шать		услы́шать	
PRES.	слы́шу	слы́шим		
	слы́шишь	слы́шите	———	
	слы́шит	слы́шат		
PAST	слы́шал		услы́шал	
	слы́шала		услы́шала	
	слы́шало		услы́шало	
	слы́шали		услы́шали	
FUT.	бу́ду слы́шать	бу́дем слы́шать	услы́шу	услы́шим
	бу́дешь слы́шать	бу́дете слы́шать	услы́шишь	услы́шите
	бу́дет слы́шать	бу́дут слы́шать	услы́шит	услы́шат
SUBJ.	слы́шал бы		услы́шал бы	
	слы́шала бы		услы́шала бы	
	слы́шало бы		услы́шало бы	
	слы́шали бы		услы́шали бы	
IMP.	———		———	
	———		———	

PARTICIPLES

PRES. ACT.	слы́шащий	———
PRES. PASS.	———	———
PAST ACT.	слы́шавший	услы́шавший
PAST PASS.	слы́шанный	услы́шанный
ADV. PART.	слы́ша	услы́шав(-ши)

СМЕЯТЬСЯ / ЗАСМЕЯТЬСЯ

LAUGH / BEGIN TO LAUGH

	IMPERFECTIVE ASPECT		PERFECTIVE ASPECT	
INF.	смея́ться		засмея́ться	
PRES.	смею́сь	смеёмся		
	смеёшься	смеётесь	———	
	смеётся	смею́тся		
PAST	смея́лся		засмея́лся	
	смея́лась		засмея́лась	
	смея́лось		засмея́лось	
	смея́лись		засмея́лись	
FUT.	бу́ду смея́ться	бу́дем смея́ться	засмею́сь	засмеёмся
	бу́дешь смея́ться	бу́дете смея́ться	засмеёшься	засмеётесь
	бу́дет смея́ться	бу́дут смея́ться	засмеётся	засмею́тся
SUBJ.	смея́лся бы		засмея́лся бы	
	смея́лась бы		засмея́лась бы	
	смея́лось бы		засмея́лось бы	
	смея́лись бы		засмея́лись бы	
IMP.	сме́йся		засме́йся	
	сме́йтесь		засме́йтесь	

PARTICIPLES

PRES. ACT.	смею́щийся	———
PRES. PASS.	———	———
PAST ACT.	смея́вшийся	засмея́вшийся
PAST PASS.	———	———
ADV. PART.	смея́сь	засмея́вшись

LOOK AT

	IMPERFECTIVE ASPECT		PERFECTIVE ASPECT	
INF.	смотре́ть		посмотре́ть	
PRES.	смотрю́	смо́трим		
	смо́тришь	смо́трите	———	
	смо́трит	смо́трят		
PAST	смотре́л		посмотре́л	
	смотре́ла		посмотре́ла	
	смотре́ло		посмотре́ло	
	смотре́ли		посмотре́ли	
FUT.	бу́ду смотре́ть	бу́дем смотре́ть	посмотрю́	посмо́трим
	бу́дешь смотре́ть	бу́дете смотре́ть	посмо́тришь	посмо́трите
	бу́дет смотре́ть	бу́дут смотре́ть	посмо́трит	посмо́трят
SUBJ.	смотре́л бы		посмотре́л бы	
	смотре́ла бы		посмотре́ла бы	
	смотре́ло бы		посмотре́ло бы	
	смотре́ли бы		посмотре́ли бы	
IMP.	смотри́		посмотри́	
	смотри́те		посмотри́те	

PARTICIPLES

	IMPERFECTIVE	PERFECTIVE
PRES. ACT.	смотря́щий	———
PRES. PASS.	———	———
PAST ACT.	смотре́вший	посмотре́вший
PAST PASS.	———	———
ADV. PART.	смотря́	посмотре́в(-ши)

СОВЕТОВАТЬ / ПОСОВЕТОВАТЬ

ADVISE

	IMPERFECTIVE ASPECT		PERFECTIVE ASPECT	
INF.	сове́товать		посове́товать	
PRES.	сове́тую	сове́туем	———	
	сове́туешь	сове́туете		
	сове́тует	сове́туют		
PAST	сове́товал		посове́товал	
	сове́товала		посове́товала	
	сове́товало		посове́товало	
	сове́товали		посове́товали	
FUT.	бу́ду сове́товать	бу́дем сове́товать	посове́тую	посове́туем
	бу́дешь сове́товать	бу́дете сове́товать	посове́туешь	посове́туете
	бу́дет сове́товать	бу́дут сове́товать	посове́тует	посове́туют
SUBJ.	сове́товал бы		посове́товал бы	
	сове́товала бы		посове́товала бы	
	сове́товало бы		посове́товало бы	
	сове́товали бы		посове́товали бы	
IMP.	сове́туй		посове́туй	
	сове́туйте		посове́туйте	

PARTICIPLES

PRES. ACT.	сове́тующий	———
PRES. PASS.	———	———
PAST ACT.	сове́товавший	посове́товавший
PAST PASS.	———	посове́тованный
ADV. PART.	сове́туя	посове́товав(-ши)

KEEP

	IMPERFECTIVE ASPECT		PERFECTIVE ASPECT	
INF.	**сохраня́ть**		**сохрани́ть**	
PRES.	**сохраня́ю**	**сохраня́ем**	———	
	сохраня́ешь	**сохраня́ете**		
	сохраня́ет	**сохраня́ют**		
PAST	**сохраня́л**		**сохрани́л**	
	сохраня́ла		**сохрани́ла**	
	сохраня́ло		**сохрани́ло**	
	сохраня́ли		**сохрани́ли**	
FUT.	**бу́ду сохраня́ть**	**бу́дем сохраня́ть**	**сохраню́**	**сохрани́м**
	бу́дешь сохраня́ть	**бу́дете сохраня́ть**	**сохрани́шь**	**сохрани́те**
	бу́дет сохраня́ть	**бу́дут сохраня́ть**	**сохрани́т**	**сохраня́т**
SUBJ.	**сохраня́л бы**		**сохрани́л бы**	
	сохраня́ла бы		**сохрани́ла бы**	
	сохраня́ло бы		**сохрани́ло бы**	
	сохраня́ли бы		**сохрани́ли бы**	
IMP.	**сохраня́й**		**сохрани́**	
	сохраня́йте		**сохрани́те**	

PARTICIPLES

PRES. ACT.	**сохраня́ющий**	———
PRES. PASS.	**сохраня́емый**	———
PAST ACT.	**сохраня́вший**	**сохрани́вший**
PAST PASS.	———	**сохранённый (сохранён, сохранена́)**
ADV. PART.	**сохраня́я**	**сохрани́в(-ши)**

SAVE

	IMPERFECTIVE ASPECT		PERFECTIVE ASPECT	
INF.	спаса́ть		спасти́	
PRES.	спаса́ю	спаса́ем		
	спаса́ешь	спаса́ете	———	
	спаса́ет	спаса́ют		
PAST	спаса́л		спас	
	спаса́ла		спасла́	
	спаса́ло		спасло́	
	спаса́ли		спасли́	
FUT.	бу́ду спаса́ть	бу́дем спаса́ть	спасу́	спасём
	бу́дешь спаса́ть	бу́дете спаса́ть	спасёшь	спасёте
	бу́дет спаса́ть	бу́дут спаса́ть	спасёт	спасу́т
SUBJ.	спаса́л бы		спас бы	
	спаса́ла бы		спасла́ бы	
	спаса́ло бы		спасло́ бы	
	спаса́ли бы		спасли́ бы	
IMP.	спаса́й		спаси́	
	спаса́йте		спаси́те	

PARTICIPLES

PRES. ACT.	спаса́ющий	———
PRES. PASS.	спаса́емый	———
PAST ACT.	спаса́вший	спа́сший
PAST PASS.	———	спасённый (спасён, спасена́)
ADV. PART.	спаса́я	спа́сши

SLEEP

	IMPERFECTIVE ASPECT		PERFECTIVE ASPECT	
INF.	спать		поспа́ть	
PRES.	сплю	спим		
	спишь	спите	———	
	спит	спят		
PAST	спал		поспа́л	
	спала́		поспала́	
	спа́ло		поспа́ло	
	спа́ли		поспа́ли	
FUT.	бу́ду спать	бу́дем спать	посплю́	поспи́м
	бу́дешь спать	бу́дете спать	поспи́шь	поспи́те
	бу́дет спать	бу́дут спать	поспи́т	поспя́т
SUBJ.	спал бы		поспал бы	
	спала́ бы		поспала́ бы	
	спа́ло бы		поспа́ло бы	
	спа́ли бы		поспа́ли бы	
IMP.	спи		поспи́	
	спи́те		поспи́те	

PARTICIPLES

PRES. ACT.	спя́щий	———
PRES. PASS.	———	———
PAST ACT.	спа́вший	поспа́вший
PAST PASS.	———	———
ADV. PART.	———	поспа́в(-ши)

СПЕШИТЬ / ПОСПЕШИТЬ

HURRY

	IMPERFECTIVE ASPECT		PERFECTIVE ASPECT	
INF.	**спеши́ть**		**поспеши́ть**	
PRES.	**спешу́**	**спеши́м**	———	
	спеши́шь	**спеши́те**		
	спеши́т	**спеша́т**		
PAST	**спеши́л**		**поспеши́л**	
	спеши́ла		**поспеши́ла**	
	спеши́ло		**поспеши́ло**	
	спеши́ли		**поспеши́ли**	
FUT.	**бу́ду спеши́ть**	**бу́дем спеши́ть**	**поспешу́**	**поспеши́м**
	бу́дешь спеши́ть	**бу́дете спеши́ть**	**поспеши́шь**	**поспеши́те**
	бу́дет спеши́ть	**бу́дут спеши́ть**	**поспеши́т**	**поспеша́т**
SUBJ.	**спеши́л бы**		**поспеши́л бы**	
	спеши́ла бы		**поспеши́ла бы**	
	спеши́ло бы		**поспеши́ло бы**	
	спеши́ли бы		**поспеши́ли бы**	
IMP.	**спеши́**		**поспеши́**	
	спеши́те		**поспеши́те**	

PARTICIPLES

PRES. ACT.	**спеша́щий**	———
PRES. PASS.	———	———
PAST ACT.	**спеши́вший**	**поспеши́вший**
PAST PASS.	———	———
ADV. PART.	**спеша́**	**поспеши́в(-ши)**

ARGUE

	IMPERFECTIVE ASPECT		PERFECTIVE ASPECT	
INF.	спо́рить		поспо́рить	
PRES.	спо́рю	спо́рим		
	спо́ришь	спо́рите	———	
	спо́рит	спо́рят		
PAST	спо́рил		поспо́рил	
	спо́рила		поспо́рила	
	спо́рило		поспо́рило	
	спо́рили		поспо́рили	
FUT.	бу́ду спо́рить	бу́дем спо́рить	поспо́рю	поспо́рим
	бу́дешь спо́рить	бу́дете спо́рить	поспо́ришь	поспо́рите
	бу́дет спо́рить	бу́дут спо́рить	поспо́рит	поспо́рят
SUBJ.	спо́рил бы		поспо́рил бы	
	спо́рила бы		поспо́рила бы	
	спо́рило бы		поспо́рило бы	
	спо́рили бы		поспо́рили бы	
IMP.	спорь		поспо́рь	
	спо́рьте		поспо́рьте	

PARTICIPLES

PRES. ACT.	спо́рящий	———
PRES. PASS.	———	———
PAST ACT.	спо́ривший	поспо́ривший
PAST PASS.	———	———
ADV. PART.	спо́ря	поспо́рив(-ши)

СПРАШИВАТЬ / СПРОСИТЬ

ASK (a question)

	IMPERFECTIVE ASPECT		PERFECTIVE ASPECT	
INF.	**спра́шивать**		**спроси́ть**	
PRES.	**спра́шиваю**	**спра́шиваем**		
	спра́шиваешь	**спра́шиваете**	———	
	спра́шивает	**спра́шивают**		
PAST	**спра́шивал**		**спроси́л**	
	спра́шивала		**спроси́ла**	
	спра́шивало		**спроси́ло**	
	спра́шивали		**спроси́ли**	
FUT.	**бу́ду спра́шивать**	**бу́дем спра́шивать**	**спрошу́**	**спро́сим**
	бу́дешь спра́шивать	**бу́дете спра́шивать**	**спро́сишь**	**спро́сите**
	бу́дет спра́шивать	**бу́дут спра́шивать**	**спро́сит**	**спро́сят**
SUBJ.	**спра́шивал бы**		**спроси́л бы**	
	спра́шивала бы		**спроси́ла бы**	
	спра́шивало бы		**спроси́ло бы**	
	спра́шивали бы		**спроси́ли бы**	
IMP.	**спра́шивай**		**спроси́**	
	спра́шивайте		**спроси́те**	

PARTICIPLES

PRES. ACT.	**спра́шивающий**	———
PRES. PASS.	**спра́шиваемый**	———
PAST ACT.	**спра́шивавший**	**спроси́вший**
PAST PASS.	———	**спро́шенный**
ADV. PART.	**спра́шивая**	**спроси́в(-ши)**

LOWER
DESCEND

	IMPERFECTIVE ASPECT		PERFECTIVE ASPECT	
INF.	**спускáть**		**спусти́ть**	
PRES.	**спускáю**	**спускáем**		
	спускáешь	**спускáете**	———	
	спускáет	**спускáют**		
PAST	**спускáл**		**спусти́л**	
	спускáла		**спусти́ла**	
	спускáло		**спусти́ло**	
	спускáли		**спусти́ли**	
FUT.	**бу́ду спускáть**	**бу́дем спускáть**	**спущу́**	**спу́стим**
	бу́дешь спускáть	**бу́дете спускáть**	**спу́стишь**	**спу́стите**
	бу́дет спускáть	**бу́дут спускáть**	**спу́стит**	**спу́стят**
SUBJ.	**спускáл бы**		**спусти́л бы**	
	спускáла бы		**спусти́ла бы**	
	спускáло бы		**спусти́ло бы**	
	спускáли бы		**спусти́ли бы**	
IMP.	**спускáй**		**спусти́**	
	спускáйте		**спусти́те**	

PARTICIPLES

PRES. ACT.	**спускáющий**	———
PRES. PASS.	**спускáемый**	———
PAST ACT.	**спускáвший**	**спусти́вший**
PAST PASS.	———	**спу́щенный**
ADV. PART.	**спускáя**	**спусти́в(-ши)**

СТАВИТЬ / ПОСТАВИТЬ

PLACE (upright)

	IMPERFECTIVE ASPECT		PERFECTIVE ASPECT	
INF.	ста́вить		поста́вить	
PRES.	ста́влю	ста́вим	———	
	ста́вишь	ста́вите		
	ста́вит	ста́вят		
PAST	ста́вил		поста́вил	
	ста́вила		поста́вила	
	ста́вило		поста́вило	
	ста́вили		поста́вили	
FUT.	бу́ду ста́вить	бу́дем ста́вить	поста́влю	поста́вим
	бу́дешь ста́вить	бу́дете ста́вить	поста́вишь	поста́вите
	бу́дет ста́вить	бу́дут ста́вить	поста́вит	поста́вят
SUBJ.	ста́вил бы		поста́вил бы	
	ста́вила бы		поста́вила бы	
	ста́вило бы		поста́вило бы	
	ста́вили бы		поста́вили бы	
IMP.	ставь		поста́вь	
	ста́вьте		поста́вьте	

PARTICIPLES

PRES. ACT.	ста́вящий	———
PRES. PASS.	———	———
PAST ACT.	ста́вивший	поста́вивший
PAST PASS.	———	поста́вленный
ADV. PART.	ста́вя	поста́вив(-ши)

BECOME

	IMPERFECTIVE ASPECT		PERFECTIVE ASPECT	
INF.	станови́ться		стать	
PRES.	становлю́сь	стано́вимся	———	
	стано́вишься	стано́витесь		
	стано́вится	стано́вятся		
PAST	станови́лся		стал	
	станови́лась		ста́ла	
	станови́лось		ста́ло	
	станови́лись		ста́ли	
FUT.	бу́ду станови́ться	бу́дем станови́ться	ста́ну	ста́нем
	бу́дешь станови́ться	бу́дете станови́ться	ста́нешь	ста́нете
	бу́дет станови́ться	бу́дут станови́ться	ста́нет	ста́нут
SUBJ.	станови́лся бы		стал бы	
	станови́лась бы		ста́ла бы	
	станови́лось бы		ста́ло бы	
	станови́лись бы		ста́ли бы	
IMP.	станови́сь		стань	
	станови́тесь		ста́ньте	

PARTICIPLES

PRES. ACT.	становя́щийся	———
PRES. PASS.	———	———
PAST ACT.	станови́вшийся	ста́вший
PAST PASS.	———	———
ADV. PART.	становя́сь	ста́в(-ши)

СТАРАТЬСЯ / ПОСТАРАТЬСЯ

ATTEMPT

	IMPERFECTIVE ASPECT		PERFECTIVE ASPECT	
INF.	стара́ться		постара́ться	
PRES.	стара́юсь	стара́емся		
	стара́ешься	стара́етесь	———	
	стара́ется	стара́ются		
PAST.	стара́лся		постара́лся	
	стара́лась		постара́лась	
	стара́лось		постара́лось	
	стара́лись		постара́лись	
FUT.	бу́ду стара́ться	бу́дем стара́ться	постара́юсь	постара́емся
	бу́дешь стара́ться	бу́дете стара́ться	постара́ешься	постара́етесь
	бу́дет стара́ться	бу́дут стара́ться	постара́ется	постара́ются
SUBJ.	стара́лся бы		постара́лся бы	
	стара́лась бы		постара́лась бы	
	стара́лось бы		постара́лось бы	
	стара́лись бы		постара́лись бы	
IMP.	стара́йся		постара́йся	
	стара́йтесь		постара́йтесь	

PARTICIPLES

PRES. ACT.	стара́ющийся	———
PRES. PASS.	———	———
PAST ACT.	стара́вшийся	постара́вшийся
PAST PASS.	———	———
ADV. PART.	стара́ясь	постара́вшись

	IMPERFECTIVE ASPECT		PERFECTIVE ASPECT
INF.	сто́ить		
PRES.	сто́ю	сто́им	
	сто́ишь	сто́ите	
	сто́ит	сто́ят	
PAST	сто́ил		
	сто́ила		
	сто́ило		
	сто́или		
FUT.	бу́ду сто́ить	бу́дем сто́ить	
	бу́дешь сто́ить	бу́дете сто́ить	
	бу́дет сто́ить	бу́дут сто́ить	
SUBJ.	сто́ил бы		
	сто́ила бы		
	сто́ило бы		
	сто́или бы		
IMP.	———		
	———		

PARTICIPLES

PRES. ACT. сто́ящий

PRES. PASS. ———

PAST ACT. сто́ивший

PAST PASS. ———

ADV. PART. ———

СТОЯТЬ / ПОСТОЯТЬ

BE STANDING

	IMPERFECTIVE ASPECT		PERFECTIVE ASPECT	
INF.	стоя́ть		постоя́ть	
PRES.	стою́	стои́м		
	стои́шь	стои́те	———	
	стои́т	стоя́т		
PAST	стоя́л		постоя́л	
	стоя́ла		постоя́ла	
	стоя́ло		постоя́ло	
	стоя́ли		постоя́ли	
FUT.	бу́ду стоя́ть	бу́дем стоя́ть	постою́	постои́м
	бу́дешь стоя́ть	бу́дете стоя́ть	постои́шь	постои́те
	бу́дет стоя́ть	бу́дут стоя́ть	постои́т	постоя́т
SUBJ.	стоя́л бы		постоя́л бы	
	стоя́ла бы		постоя́ла бы	
	стоя́ло бы		постоя́ло бы	
	стоя́ли бы		постоя́ли бы	
IMP.	стой		посто́й	
	сто́йте		посто́йте	

PARTICIPLES

PRES. ACT.	стоя́щий	———
PRES. PASS.	———	———
PAST ACT.	стоя́вший	постоя́вший
PAST PASS.	———	———
ADV. PART.	сто́я	постоя́в(-ши)

CUT (hair)

	IMPERFECTIVE ASPECT		PERFECTIVE ASPECT	
INF.	**стричь**		**постри́чь**	
PRES.	**стригу́**	**стрижём**	—	
	стрижёшь	**стрижёте**		
	стрижёт	**стригу́т**		
PAST	**стриг**		**постри́г**	
	стри́гла		**постри́гла**	
	стри́гло		**постри́гло**	
	стри́гли		**постри́гли**	
FUT.	**бу́ду стричь**	**бу́дем стричь**	**постригу́**	**пострижём**
	бу́дешь стричь	**бу́дете стричь**	**пострижёшь**	**пострижёте**
	бу́дет стричь	**бу́дут стричь**	**пострижёт**	**постригу́т**
SUBJ.	**стриг бы**		**постри́г бы**	
	стри́гла бы		**постри́гла бы**	
	стри́гло бы		**постри́гло бы**	
	стри́гли бы		**постри́гли бы**	
IMP.	**стриги́**		**постриги́**	
	стриги́те		**постриги́те**	

PARTICIPLES

PRES. ACT.	**стригу́щий**	—
PRES. PASS.	—	—
PAST ACT.	**стри́гший**	**постри́гший**
PAST PASS.	—	**постри́женный**
ADV. PART.	—	**постри́гши**

СТРОИТЬ / ПОСТРОИТЬ

BUILD

	IMPERFECTIVE ASPECT		PERFECTIVE ASPECT	
INF.	стро́ить		построи́ть	
PRES.	стро́ю	стро́им	——	
	стро́ишь	стро́ите		
	стро́ит	стро́ят		
PAST	стро́ил		постро́ил	
	стро́ила		постро́ила	
	стро́ило		постро́ило	
	стро́или		постро́или	
FUT.	бу́ду стро́ить	бу́дем стро́ить	постро́ю	постро́им
	бу́дешь стро́ить	бу́дете стро́ить	постро́ишь	постро́ите
	бу́дет стро́ить	бу́дут стро́ить	постро́ит	постро́ят
SUBJ.	стро́ил бы		постро́ил бы	
	стро́ила бы		постро́ила бы	
	стро́ило бы		постро́ило бы	
	стро́или бы		постро́или бы	
IMP.	строй		постро́й	
	стро́йте		постро́йте	

PARTICIPLES

PRES. ACT.	стро́ящий	——
PRES. PASS.	стро́имый	——
PAST ACT.	стро́ивший	постро́ивший
PAST PASS.	——	постро́енный
ADV. PART.	стро́я	постро́ив(-ши)

DANCE

	IMPERFECTIVE ASPECT		PERFECTIVE ASPECT	
INF.	**танцева́ть**		**потанцева́ть**	
PRES.	**танцу́ю**	**танцу́ем**		
	танцу́ешь	**танцу́ете**	———	
	танцу́ет	**танцу́ют**		
PAST	**танцева́л**		**потанцева́л**	
	танцева́ла		**потанцева́ла**	
	танцева́ло		**потанцева́ло**	
	танцева́ли		**потанцева́ли**	
FUT.	**бу́ду танцева́ть**	**бу́дем танцева́ть**	**потанцу́ю**	**потанцу́ем**
	бу́дешь танцева́ть	**бу́дете танцева́ть**	**потанцу́ешь**	**потанцу́ете**
	бу́дет танцева́ть	**бу́дут танцева́ть**	**потанцу́ет**	**потанцу́ют**
SUBJ.	**танцева́л бы**		**потанцева́л бы**	
	танцева́ла бы		**потанцева́ла бы**	
	танцева́ло бы		**потанцева́ло бы**	
	танцева́ли бы		**потанцева́ли бы**	
IMP.	**танцу́й**		**потанцу́й**	
	танцу́йте		**потанцу́йте**	

PARTICIPLES

PRES. ACT.	**танцу́ющий**	———
PRES. PASS.	**танцу́емый**	———
PAST ACT.	**танцева́вший**	**потанцева́вший**
PAST PASS.	———	———
ADV. PART.	**танцу́я**	**потанцева́в(-ши)**

ТЕРПЕТЬ / ПОТЕРПЕТЬ

ENDURE

	IMPERFECTIVE ASPECT		PERFECTIVE ASPECT	
INF.	терпе́ть		потерпе́ть	
PRES.	терплю́	те́рпим		
	те́рпишь	те́рпите	———	
	те́рпит	те́рпят		
PAST	терпе́л		потерпе́л	
	терпе́ла		потерпе́ла	
	терпе́ло		потерпе́ло	
	терпе́ли		потерпе́ли	
FUT.	бу́ду терпе́ть	бу́дем терпе́ть	потерплю́	поте́рпим
	бу́дешь терпе́ть	бу́дете терпе́ть	поте́рпишь	поте́рпите
	бу́дет терпе́ть	бу́дут терпе́ть	поте́рпит	поте́рпят
SUBJ.	терпе́л бы		потерпе́л бы	
	терпе́ла бы		потерпе́ла бы	
	терпе́ло бы		потерпе́ло бы	
	терпе́ли бы		потерпе́ли бы	
IMP.	терпи́		потерпи́	
	терпи́те		потерпи́те	

PARTICIPLES

PRES. ACT.	те́рпящий	———
PRES. PASS.	терпи́мый	———
PAST ACT.	терпе́вший	потерпе́вший
PAST PASS.	———	———
ADV. PART.	терпя́	потерпе́в(-ши)

LOSE
BE LOST

	IMPERFECTIVE ASPECT		PERFECTIVE ASPECT	
INF.	теря́ть		потеря́ть	
PRES.	теря́ю	теря́ем	———	
	теря́ешь	теря́ете		
	теря́ет	теря́ют		
PAST	теря́л		потеря́л	
	теря́ла		потеря́ла	
	теря́ло		потеря́ло	
	теря́ли		потеря́ли	
FUT.	бу́ду теря́ть	бу́дем теря́ть	потеря́ю	потеря́ем
	бу́дешь теря́ть	бу́дете теря́ть	потеря́ешь	потеря́ете
	бу́дет теря́ть	бу́дут теря́ть	потеря́ет	потеря́ют
SUBJ.	теря́л бы		потеря́л бы	
	теря́ла бы		потеря́ла бы	
	теря́ло бы		потеря́ло бы	
	теря́ли бы		потеря́ли бы	
IMP.	теря́й		потеря́й	
	теря́йте		потеря́йте	

PARTICIPLES

PRES. ACT.	теря́ющий	———
PRES. PASS.	теря́емый	———
PAST ACT.	теря́вший	потеря́вший
PAST PASS.	———	поте́рянный
ADV. PART.	теря́я	потеря́в(-ши)

ТРЕБОВАТЬ / ПОТРЕБОВАТЬ

DEMAND

	IMPERFECTIVE ASPECT		PERFECTIVE ASPECT	
INF.	тре́бовать		потре́бовать	
PRES.	тре́бую	тре́буем		
	тре́буешь	тре́буете	———	
	тре́бует	тре́буют		
PAST	тре́бовал		потре́бовал	
	тре́бовала		потре́бовала	
	тре́бовало		потре́бовало	
	тре́бовали		потре́бовали	
FUT.	бу́ду тре́бовать	бу́дем тре́бовать	потре́бую	потре́буем
	бу́дешь тре́бовать	бу́дете тре́бовать	потре́буешь	потре́буете
	бу́дет тре́бовать	бу́дут тре́бовать	потре́бует	потре́буют
SUBJ.	тре́бовал бы		потре́бовал бы	
	тре́бовала бы		потре́бовала бы	
	тре́бовало бы		потре́бовало бы	
	тре́бовали бы		потре́бовали бы	
IMP.	тре́буй		потре́буй	
	тре́буйте		потре́буйте	

PARTICIPLES

PRES. ACT.	тре́бующий	———
PRES. PASS.	тре́буемый	———
PAST ACT.	тре́бовавший	потре́бовавший
PAST PASS.	———	потре́бованный
ADV. PART.	тре́буя	потре́бовав(-ши)

KILL

	IMPERFECTIVE ASPECT		PERFECTIVE ASPECT	
INF.	убива́ть		уби́ть	
PRES.	убива́ю	убива́ем		
	убива́ешь	убива́ете	———	
	убива́ет	убива́ют		
PAST	убива́л		уби́л	
	убива́ла		уби́ла	
	убива́ло		уби́ло	
	убива́ли		уби́ли	
FUT.	бу́ду убива́ть	бу́дем убива́ть	убью́	убьём
	бу́дешь убива́ть	бу́дете убива́ть	убьёшь	убьёте
	бу́дет убива́ть	бу́дут убива́ть	убьёт	убью́т
SUBJ.	убива́л бы		уби́л бы	
	убива́ла бы		уби́ла бы	
	убива́ло бы		уби́ло бы	
	убива́ли бы		уби́ли бы	
IMP.	убива́й		убе́й	
	убива́йте		убе́йте	

PARTICIPLES

	IMPERFECTIVE	PERFECTIVE
PRES. ACT.	убива́ющий	———
PRES. PASS.	убива́емый	———
PAST ACT.	убива́вший	уби́вший
PAST PASS.	———	уби́тый
ADV. PART.	убива́я	уби́в(-ши)

RESPECT

	IMPERFECTIVE ASPECT		PERFECTIVE ASPECT
INF.	уважа́ть		
PRES.	уважа́ю	уважа́ем	
	уважа́ешь	уважа́ете	
	уважа́ет	уважа́ют	
PAST	уважа́л		
	уважа́ла		
	уважа́ло		
	уважа́ли		
FUT.	бу́ду уважа́ть	бу́дем уважа́ть	
	бу́дешь уважа́ть	бу́дете уважа́ть	
	бу́дет уважа́ть	бу́дут уважа́ть	
SUBJ.	уважа́л бы		
	уважа́ла бы		
	уважа́ло бы		
	уважа́ли бы		
IMP.	уважа́й		
	уважа́йте		

PARTICIPLES

PRES. ACT.	уважа́ющий
PRES. PASS.	уважа́емый
PAST ACT.	уважа́вший
PAST PASS.	———
ADV. PART.	уважа́я

HAVE SUPPER

	IMPERFECTIVE ASPECT		PERFECTIVE ASPECT	
INF.	у́жинать		поу́жинать	
PRES.	у́жинаю	у́жинаем		
	у́жинаешь	у́жинаете	———	
	у́жинает	у́жинают		
PAST	у́жинал		поу́жинал	
	у́жинала		поу́жинала	
	у́жинало		поу́жинало	
	у́жинали		поу́жинали	
FUT.	бу́ду у́жинать	бу́дем у́жинать	поу́жинаю	поу́жинаем
	бу́дешь у́жинать	бу́дете у́жинать	поу́жинаешь	поу́жинаете
	бу́дет у́жинать	бу́дут у́жинать	поу́жинает	поу́жинают
SUBJ.	у́жинал бы		поу́жинал бы	
	у́жинала бы		поу́жинала бы	
	у́жинало бы		поу́жинало бы	
	у́жинали бы		поу́жинали бы	
IMP.	у́жинай		поу́жинай	
	у́жинайте		поу́жинайте	

PARTICIPLES

PRES. ACT.	у́жинающий	———
PRES. PASS.	———	———
PAST ACT.	у́жинавший	поу́жинавший
PAST PASS.	———	———
ADV. PART.	у́жиная	поу́жинав(-ши)

УКЛАДЫВАТЬ / УЛОЖИТЬ

PACK

	IMPERFECTIVE ASPECT		PERFECTIVE ASPECT	
INF.	укла́дывать		уложи́ть	
PRES.	укла́дываю	укла́дываем		
	укла́дываешь	укла́дываете	———	
	укла́дывает	укла́дывают		
PAST	укла́дывал		уложи́л	
	укла́дывала		уложи́ла	
	укла́дывало		уложи́ло	
	укла́дывали		уложи́ли	
FUT.	бу́ду укла́дывать	бу́дем укла́дывать	уложу́	уло́жим
	бу́дешь укла́дывать	бу́дете укла́дывать	уло́жишь	уло́жите
	бу́дет укла́дывать	бу́дут укла́дывать	уло́жит	уло́жат
SUBJ.	укла́дывал бы		уложи́л бы	
	укла́дывала бы		уложи́ла бы	
	укла́дывало бы		уложи́ло бы	
	укла́дывали бы		уложи́ли бы	
IMP.	укла́дывай		уложи́	
	укла́дывайте		уложи́те	

PARTICIPLES

PRES. ACT.	укла́дывающий	———
PRES. PASS.	укла́дываемый	———
PAST ACT.	укла́дывавший	уложи́вший
PAST PASS.	———	уло́женный
ADV. PART.	укла́дывая	уложи́в(-ши)

KNOW HOW

	IMPERFECTIVE ASPECT		PERFECTIVE ASPECT	
INF.	умéть		сумéть	
PRES.	умéю умéешь умéет	умéем умéете умéют	———	
PAST	умéл умéла умéло умéли		сумéл сумéла сумéло сумéли	
FUT.	бýду умéть бýдешь умéть бýдет умéть	бýдем умéть бýдете умéть бýдут умéть	сумéю сумéешь сумéет	сумéем сумéете сумéют
SUBJ.	умéл бы умéла бы умéло бы умéли бы		сумéл бы сумéла бы сумéло бы сумéли бы	
IMP.	умéй умéйте		сумéй сумéйте	

PARTICIPLES

PRES. ACT.	умéющий	———
PRES. PASS.	———	———
PAST ACT.	умéвший	сумéвший
PAST PASS.	———	———
ADV. PART.	умéя	сумéв(-ши)

УМИРАТЬ / УМЕРЕТЬ

DIE

	IMPERFECTIVE ASPECT		PERFECTIVE ASPECT	
INF.	умира́ть		умере́ть	
PRES.	умира́ю	умира́ем	———	
	умира́ешь	умира́ете		
	умира́ет	умира́ют		
PAST	умира́л		у́мер	
	умира́ла		умерла́	
	умира́ло		у́мерло	
	умира́ли		у́мерли	
FUT.	бу́ду умира́ть	бу́дем умирать	умру́	умрём
	бу́дешь умира́ть	бу́дете умира́ть	умрёшь	умрёте
	бу́дет умира́ть	бу́дут умира́ть	умрёт	умру́т
SUBJ.	умира́л бы		у́мер бы	
	умира́ла бы		умерла́ бы	
	умира́ло бы		умерло́ бы	
	умира́ли бы		умерли́ бы	
IMP.	умира́й		умри́	
	умира́йте		умри́те	

PARTICIPLES

PRES. ACT.	умира́ющий	———
PRES. PASS.	———	———
PAST ACT.	умира́вший	уме́рший
PAST PASS.	———	———
ADV. PART.	умира́я	уме́рши, умере́в

HAVE TIME

	IMPERFECTIVE ASPECT		PERFECTIVE ASPECT	
INF.	успева́ть		успе́ть	
PRES.	успева́ю	успева́ем		
	успева́ешь	успева́ете	———	
	успева́ет	успева́ют		
PAST	успева́л		успе́л	
	успева́ла		успе́ла	
	успева́ло		успе́ло	
	успева́ли		успе́ли	
FUT.	бу́ду успева́ть	бу́дем успева́ть	успе́ю	успе́ем
	бу́дешь успева́ть	бу́дете успева́ть	успе́ешь	успе́ете
	бу́дет успева́ть	бу́дут успева́ть	успе́ет	успе́ют
SUBJ.	успева́л бы		успе́л бы	
	успева́ла бы		успе́ла бы	
	успева́ло бы		успе́ло бы	
	успева́ли бы		успе́ли бы	
IMP.	успева́й		успе́й	
	успева́йте		успе́йте	

PARTICIPLES

PRES. ACT.	успева́ющий	———
PRES. PASS.	———	———
PAST ACT.	успева́вший	успе́вший
PAST PASS.	———	———
ADV. PART.	успева́я	успе́в(-ши)

ARRANGE

	IMPERFECTIVE ASPECT		PERFECTIVE ASPECT	
INF.	устра́ивать		устро́ить	
PRES.	устра́иваю	устра́иваем	———	
	устра́иваешь	устра́иваете		
	устра́ивает	устра́ивают		
PAST	устра́ивал		устро́ил	
	устра́ивала		устро́ила	
	устра́ивало		устро́ило	
	устра́ивали		устро́или	
FUT.	бу́ду устра́ивать	бу́дем устра́ивать	устро́ю	устро́им
	бу́дешь устра́ивать	бу́дете устра́ивать	устро́ишь	устро́ите
	бу́дет устра́ивать	бу́дут устра́ивать	устро́ит	устро́ят
SUBJ.	устра́ивал бы		устро́ил бы	
	устра́ивала бы		устро́ила бы	
	устра́ивало бы		устро́ило бы	
	устра́ивали бы		устро́или бы	
IMP.	устра́ивай		устро́й	
	устра́ивайте		устро́йте	

PARTICIPLES

PRES. ACT.	устра́ивающий	———
PRES. PASS.	устра́иваемый	———
PAST ACT.	устра́ивавший	устро́ивший
PAST PASS.	———	устро́енный
ADV. PART.	устра́ивая	устро́ив(-ши)

TEACH
LEARN

	IMPERFECTIVE ASPECT		PERFECTIVE ASPECT	
INF.	**учи́ть**		**вы́учить**	
PRES.	**учу́**	**у́чим**	—	
	у́чишь	**у́чите**		
	у́чит	**у́чат**		
PAST	**учи́л**		**вы́учил**	
	учи́ла		**вы́учила**	
	учи́ло		**вы́учило**	
	учи́ли		**вы́учили**	
FUT.	**бу́ду учи́ть**	**бу́дем учи́ть**	**вы́учу**	**вы́учим**
	бу́дешь учи́ть	**бу́дете учи́ть**	**вы́учишь**	**вы́учите**
	бу́дет учи́ть	**бу́дут учи́ть**	**вы́учит**	**вы́учат**
SUBJ.	**учи́л бы**		**вы́учил бы**	
	учи́ла бы		**вы́учила бы**	
	учи́ло бы		**вы́учило бы**	
	учи́ли бы		**вы́учили бы**	
IMP.	**учи́**		**вы́учи**	
	учи́те		**вы́учите**	

PARTICIPLES

PRES. ACT.	**уча́щий**	—
PRES. PASS.	—	—
PAST ACT.	**учи́вший**	**вы́учивший**
PAST PASS.	—	**вы́ученный**
ADV. PART.	**уча́**	**вы́учив(-ши)**

ХОДИТЬ*ИДТИ/ПОЙТИ (ВОЙТИ)

WALK

IMPERFECTIVE

	INDETERMINATE		DETERMINATE	
INF.	**ходи́ть**		**идти́**	
PRES.	**хожу́**	**хо́дим**	**иду́**	**идём**
	хо́дишь	**хо́дите**	**идёшь**	**идёте**
	хо́дит	**хо́дят**	**идёт**	**иду́т**
PAST	**ходи́л**		**шёл**	
	ходи́ла		**шла**	
	ходи́ло		**шло**	
	ходи́ли		**шли**	
FUT.	**бу́ду ходи́ть**	**бу́дем ходи́ть**	**бу́ду идти́**	**бу́дем идти́**
	бу́дешь ходи́ть	**бу́дете ходи́ть**	**бу́дешь идти́**	**бу́дете идти́**
	бу́дет ходи́ть	**бу́дут ходи́ть**	**бу́дет идти́**	**бу́дут идти́**
SUBJ.	**ходи́л бы**		**шёл бы**	
	ходи́ла бы		**шла бы**	
	ходи́ло бы		**шло бы**	
	ходи́ли бы		**шли бы**	
IMP.	**ходи́**		**иди́**	
	ходи́те		**иди́те**	

PARTICIPLES

PRES. ACT.	**ходя́щий**	**иду́щий**
PRES. PASS.	———	———
PAST ACT.	**ходи́вший**	**ше́дший**
PAST PASS.	———	———
ADV. PART.	**ходя́**	**идя́**

WANT

	IMPERFECTIVE ASPECT		PERFECTIVE ASPECT	
INF.	**хоте́ть**		**захоте́ть**	
PRES.	**хочу́**	**хоти́м**		
	хо́чешь	**хоти́те**	———	
	хо́чет	**хотя́т**		
PAST	**хоте́л**		**захоте́л**	
	хоте́ла		**захоте́ла**	
	хоте́ло		**захоте́ло**	
	хоте́ли		**захоте́ли**	
FUT.	**бу́ду хоте́ть**	**бу́дем хоте́ть**	**захочу́**	**захоти́м**
	бу́дешь хоте́ть	**бу́дете хоте́ть**	**захо́чешь**	**захоти́те**
	бу́дет хоте́ть	**бу́дут хоте́ть**	**захо́чет**	**захотя́т**
SUBJ.	**хоте́л бы**		**захоте́л бы**	
	хоте́ла бы		**захоте́ла бы**	
	хоте́ло бы		**захоте́ло бы**	
	хоте́ли бы		**захоте́ли бы**	
IMP.	———		———	
	———		———	

PARTICIPLES

PRES. ACT.	**хотя́щий**	———
PRES. PASS.	———	———
PAST ACT.	**хоте́вший**	**захоте́вший**
PAST PASS.	———	———
ADV. PART.	———	**захоте́в(-ши)**

ЦЕЛОВАТЬ / ПОЦЕЛОВАТЬ

KISS

	IMPERFECTIVE ASPECT		PERFECTIVE ASPECT	
INF.	**целова́ть**		**поцелова́ть**	
PRES.	**целу́ю**	**целу́ем**	———	
	целу́ешь	**целу́ете**		
	целу́ет	**целу́ют**		
PAST	**целова́л**		**поцелова́л**	
	целова́ла		**поцелова́ла**	
	целова́ло		**поцелова́ло**	
	целова́ли		**поцелова́ли**	
FUT.	**бу́ду целова́ть**	**бу́дем целова́ть**	**поцелу́ю**	**поцелу́ем**
	бу́дешь целова́ть	**бу́дете целова́ть**	**поцелу́ешь**	**поцелу́ете**
	бу́дет целова́ть	**бу́дут целова́ть**	**поцелу́ет**	**поцелу́ют**
SUBJ.	**целова́л бы**		**поцелова́л бы**	
	целова́ла бы		**поцелова́ла бы**	
	целова́ло бы		**поцелова́ло бы**	
	целова́ли бы		**поцелова́ли бы**	
IMP.	**целу́й**		**поцелу́й**	
	целу́йте		**поцелу́йте**	

PARTICIPLES

PRES. ACT.	**целу́ющий**	———
PRES. PASS.	**целу́емый**	———
PAST ACT.	**целова́вший**	**поцелова́вший**
PAST PASS.	———	**поцело́ванный**
ADV. PART.	**целу́я**	**поцелова́в(-ши)**

CLEAN

	IMPERFECTIVE ASPECT		PERFECTIVE ASPECT	
INF.	чи́стить		вы́чистить	
PRES.	чи́щу	чи́стим		
	чи́стишь	чи́стите	———	
	чи́стит	чи́стят		
PAST	чи́стил		вы́чистил	
	чи́стила		вы́чистила	
	чи́стило		вы́чистило	
	чи́стили		вы́чистили	
FUT.	бу́ду чи́стить	бу́дем чи́стить	вы́чищу	вы́чистим
	бу́дешь чи́стить	бу́дете чи́стить	вы́чистишь	вы́чистите
	бу́дет чи́стить	бу́дут чи́стить	вы́чистит	вы́чистят
SUBJ.	чи́стил бы		вы́чистил бы	
	чи́стила бы		вы́чистила бы	
	чи́стило бы		вы́чистило бы	
	чи́стили бы		вы́чистили бы	
IMP.	чи́сти		вы́чисти	
	чи́стите		вы́чистите	

PARTICIPLES

PRES. ACT.	чи́стящий	———
PRES. PASS.	———	———
PAST ACT.	чи́стивший	вы́чистивший
PAST PASS.	———	вы́чищенный
ADV. PART.	чи́стя	вы́чистив(-ши)

ЧИТАТЬ / ПРОЧИТАТЬ

READ

	IMPERFECTIVE ASPECT		PERFECTIVE ASPECT	
INF.	чита́ть		прочита́ть	
PRES.	чита́ю	чита́ем	———	
	чита́ешь	чита́ете		
	чита́ет	чита́ют		
PAST	чита́л		прочита́л	
	чита́ла		прочита́ла	
	чита́ло		прочита́ло	
	чита́ли		прочита́ли	
FUT.	бу́ду чита́ть	бу́дем чита́ть	прочита́ю	прочита́ем
	бу́дешь чита́ть	бу́дете чита́ть	прочита́ешь	прочита́ете
	бу́дет чита́ть	бу́дут чита́ть	прочита́ет	прочита́ют
SUBJ.	чита́л бы		прочита́л бы	
	чита́ла бы		прочита́ла бы	
	чита́ло бы		прочита́ло бы	
	чита́ли бы		прочита́ли бы	
IMP.	чита́й		прочита́й	
	чита́йте		прочита́йте	

PARTICIPLES

PRES. ACT.	чита́ющий	———
PRES. PASS.	чита́емый	———
PAST ACT.	чита́вший	прочита́вший
PAST PASS.	———	прочи́танный
ADV. PART.	чита́я	прочита́в(-ши)

FEEL

	IMPERFECTIVE ASPECT		PERFECTIVE ASPECT	
INF.	чу́вствовать		почу́вствовать	
PRES.	чу́вствую	чу́вствуем		
	чу́вствуешь	чу́вствуете		
	чу́вствует	чу́вствуют	———	
PAST	чу́вствовал		почу́вствовал	
	чу́вствовала		почу́вствовала	
	чу́вствовало		почу́вствовало	
	чу́вствовали		почу́вствовали	
FUT.	бу́ду чу́вствовать	бу́дем чу́вствовать	почу́вствую	почу́вствуем
	бу́дешь чу́вствовать	бу́дете чу́вствовать	почу́вствуешь	почу́вствуете
	бу́дет чу́вствовать	бу́дут чу́вствовать	почу́вствует	почу́вствуют
SUB.	чу́вствовал бы		почу́вствовал бы	
	чу́вствовала бы		почу́вствовала бы	
	чу́вствовало бы		почу́вствовало бы	
	чу́вствовали бы		почу́вствовали бы	
IMP.	чу́вствуй		почу́вствуй	
	чу́вствуйте		почу́вствуйте	

PARTICIPLES

PRES. ACT.	чу́вствующий	———
PRES. PASS.	чу́вствуемый	———
PAST ACT.	чу́вствовавший	почу́вствовавший
PAST PASS.	———	почу́вствованный
ADV. PART.	чу́вствуя	почу́вствовав(-ши)

ШУМЕТЬ / ЗАШУМЕТЬ

MAKE NOISE

	IMPERFECTIVE ASPECT		PERFECTIVE ASPECT	
INF.	шуме́ть		зашуме́ть	
PRES.	шумлю́	шуми́м		
	шуми́шь	шуми́те	———	
	шуми́т	шумя́т		
PAST	шуме́л		зашуме́л	
	шуме́ла		зашуме́ла	
	шуме́ло		зашуме́ло	
	шуме́ли		зашуме́ли	
FUT.	бу́ду шуме́ть	бу́дем шуме́ть	зашумлю́	зашуми́м
	бу́дешь шуме́ть	бу́дете шуме́ть	зашуми́шь	зашуми́те
	бу́дет шуме́ть	бу́дут шуме́ть	зашуми́т	зашумя́т
SUBJ.	шуме́л бы		зашуме́л бы	
	шуме́ла бы		зашуме́ла бы	
	шуме́ло бы		зашуме́ло бы	
	шуме́ли бы		зашуме́ли бы	
IMP.	шуми́		зашуми́	
	шуми́те		зашуми́те	

PARTICIPLES

PRES. ACT.	шумя́щий	———
PRES. PASS.	———	———
PAST ACT.	шуме́вший	зашуме́вший
PAST PASS.	———	———
ADV. PART.	шумя́	зашуме́в(-ши)

JOKE

	IMPERFECTIVE ASPECT		PERFECTIVE ASPECT	
INF.	шути́ть		пошути́ть	
PRES.	шучу́	шу́тим		
	шу́тишь	шу́тите	———	
	шу́тит	шу́тят		
PAST	шути́л		пошути́л	
	шути́ла		пошути́ла	
	шути́ло		пошути́ло	
	шути́ли		пошути́ли	
FUT.	бу́ду шути́ть	бу́дем шути́ть	пошучу́	пошу́тим
	бу́дешь шути́ть	бу́дете шути́ть	пошу́тишь	пошу́тите
	бу́дет шути́ть	бу́дут шути́ть	пошу́тит	пошу́тят
SUBJ.	шути́л бы		пошути́л бы	
	шути́ла бы		пошути́ла бы	
	шути́ло бы		пошути́ло бы	
	шути́ли бы		пошути́ли бы	
IMP.	шути́		пошути́	
	шути́те		пошути́те	

PARTICIPLES

PRES. ACT.	шутя́щий	———
PRES. PASS.	———	———
PAST ACT.	шути́вший	пошути́вший
PAST PASS.	———	———
ADV. PART.	шутя́	пошути́в(-ши)

ENGLISH-RUSSIAN INDEX

The English-Russian Index includes all verbs listed in the Russian-English Index. When two verbs are listed and separated by a slash, the first is imperfective and the second is perfective. When only one verb is listed, its aspect is indicated by I or P. Two verbs separated by an asterisk form a double-imperfective pair, and the third verb following the slash serves as perfective for both of them.

The case required by each verb is indicated in the manner shown below. Required prepositions have been included.

	persons	*things*
Genitive	кого	чего
Dative	кому	чему
Accusative	кого	что
Instrumental	кем	чем
Prepositional	(о) ком	(о) чём

accept принимáть/принять, кого-что,

accomplish сдéлать P что

ache болéть (2) I

acquaint знакóмить/познакóмить, кого-что, с кем-чем

acquire приобретáть/приобрести́, кого-что

advise совéтовать/посовéтовать, кому-чему, что

answer отвечáть/ответить, кому-чему, на что, за кого-что, чем

argue спóрить/поспóрить, с кем-чем, о ком-чём

arrange устрáивать/устрóить, что

ask (a question) спрáшивать/спросить, кого-что, у кого-чего, о ком-чём

assign задавáть/задáть, что, кому-чему

attempt старáться/постарáться

attract привлекáть/привлéчь, кого-что, к чему, чем

avoid избегáть/избежáть, кого-чего

bake печь/испéчь, что

be быть I

be able мочь/смочь

be afraid of боя́тся/побоя́ться, кого-чего

be born рождáться/роди́ться

be distinguished отличáться/отличи́ться, чем

be hanging висéть I

be ill болéть I, чем

be interested интересовáться/заинтересовáться, кем-чем

be late опáздывать/опоздáть, на что

be lost теря́ться/потеря́ться, пропадáть/пропáсть

be lying лежáть/полежáть

be pleasing нра́виться/понра́виться, кому-чему
be sitting сиде́ть/посиде́ть
be standing стоя́ть/постоя́ть
be uneasy беспоко́иться/обеспоко́иться, о ком-чём
become станови́ться/стать, кем-чем
become accustomed привыка́ть/привы́кнуть, к кому-чему
become changed изменя́ться/измени́ться
become ill заболе́ть P, чем
begin начина́ть/нача́ть, что
begin to laugh засмея́ться P
believe ве́рить/пове́рить, кому-чему, в кого-что
blame обвиня́ть/обвини́ть, кого-что, в чём
blow дуть/поду́ть
break off обрыва́ть/оборва́ть, что
bring приноси́ть/принести́, кого-что
bring (someone) приводи́ть/привести́, кого-что
bring by vehicle привози́ть/привезти́, кого-что
bring to a stop остана́вливать/останови́ть, кого-что
build стро́ить/постро́ить, что
burn горе́ть/сгоре́ть (intransitive), жечь/сжечь, кого-что
buy покупа́ть/купи́ть, что

call звать/позва́ть, кого-что
carry носи́ть*нести́/понести́, кого-что
carry across переноси́ть/перенести́, кого-что
carry away относи́ть/отнести́, кого-что, уноси́ть/унести́, кого-что
carry by vehicle вози́ть*везти́/повезти́, кого-что
carry in вноси́ть/внести́, кого-что, во что
carry out выноси́ть/вы́нести, кого-что, из чего
catch лови́ть/пойма́ть, кого-что
catch cold простужа́ться/простуди́ться
catch sight of уви́деть P, кого-что
catch sound of услы́шать P, кого-что
change изменя́ть/измени́ть, кого-что
choose избира́ть/избра́ть, кого-что
clean чи́стить/вы́чистить, что
close закрыва́ть/закры́ть, что
collect собира́ть/собра́ть, кого-что
come by vehicle приезжа́ть/прие́хать
come down сходи́ть/сойти́, с чего
come flying прилета́ть/прилете́ть
come on foot приходи́ть/прийти́
come to a stop остана́вливаться/останови́ться
complain жа́ловаться/пожа́ловаться, на кого-что кому-чему
conceal скрыва́ть/скрыть, кого-что, от кого-чего
concern каса́тся/косну́ться, кого-чего
conclude заключа́ть/заключи́ть, что
consider рассма́тривать/рассмотре́ть, что
consume съесть P что
continue продожа́ть/продо́лжить, что
correct поправля́ть/попра́вить, кого-что
cost сто́ить I, что
count счита́ть/сосчита́ть, кого-что
cover покрыва́ть/покры́ть, кого-что, чем

create создава́ть/созда́ть, что
cross out зачёркивать/зачеркну́ть, что
cure вы́лечить P, кого-что, от чего
cut ре́зать/разре́зать, кого-что
cut (hair) стричь/постри́чь, кого-что

dance танцева́ть/потанцева́ть, что
demand тре́бовать/потре́бовать, чего, от кого
descend спуска́ться/спусти́ться
describe опи́сывать/описа́ть, кого-что
destroy разруша́ть/разру́шить, что
develop разраба́тывать/разрабо́тать, что
die умира́ть/умере́ть
differentiate различа́ть/различи́ть, кого-что
disappear исчеза́ть/исче́знуть
distinguish отлича́ть/отличи́ть, кого-что, от кого-чего
distract развлека́ть/развле́чь, кого, чем
do де́лать/сде́лать, что
draw рисова́ть/нарисова́ть, кого-что
dress одева́ть/оде́ть, кого-что
drink пить/вы́пить, что
drive by проезжа́ть/прое́хать
drive in въезжа́ть/въе́хать, во что
drive out выезжа́ть/вы́ехать, из чего
drop in заходи́ть/зайти́, к кому, за кем-чем

earn зараба́тывать/зарабо́тать, что
eat есть/съесть, что
elect выбира́ть/вы́брать, кого-что
endure терпе́ть/потерпе́ть, кого-что
enjoy по́льзоваться/воспо́льзоваться, чем
enroll поступа́ть/поступи́ть
exchange переменя́ть/променя́ть, кого-что
exclude исключа́ть/исключи́ть, кого-что, из чего
excuse извиня́ть/извини́ть, кого-что, за что
explain объясня́ть/объясни́ть, что, кому-чему
explode взрыва́ть/взорва́ть, что, чем
export вывози́ть/вы́везти, кого-что
express выража́ть/вы́разить, что

fall па́дать/упа́сть
fall asleep засыпа́ть/засну́ть
feel чу́вствовать/почу́вствовать, что
find находи́ть/найти́, кого-что
find out узнава́ть/узна́ть, кого-что, о ком-чём
finish конча́ть/ко́нчить, что, чем
fly лета́ть*лете́ть/полете́ть
fly away улета́ть/улете́ть
fly in влета́ть/влете́ть
fly out вылета́ть/вы́лететь
follow сле́довать/после́довать, за кем-чем, кому-чему
forget забыва́ть/забы́ть, кого-что, о ком-чём
forgive проща́ть/прости́ть, кого (Acc.), что кому-чему
foresee предви́деть I, что
foretell предска́зывать/предсказа́ть, что
freeze замерза́ть/замёрзнуть
fulfil выполня́ть/вы́полнить, что

gather собира́ться/собра́ться
get acquainted знако́миться/познако́миться, с кем-чем

get angry сердиться/рассердиться, на кого-что
get dressed одеваться/одеться
get off сходить/сойти, с чего
get to попадать/попасть, во что
get undressed раздеваться/раздеться
get up вставать/встать
get well поправляться/поправиться
give давать/дать, кого-что, кому-чему
give a shout крикнуть P, на кого, от чего
give away отдавать/отдать, кого-что, кому-чему
give back возвращать/возвратить, кого-что, кому-чему
go back возвращаться/возвратиться
grow расти I
grow up вырасти P

hate ненавидеть I, кого-что, за что
have иметь I, кого-что
have breakfast завтракать/позавтракать
have dinner обедать/пообедать
have supper ужинать/поужинать
have time успевать/успеть
hear слышать I, кого-что, о ком-чём
help помогать/помочь, кому-чему, чем, в чём
hide прятать/спрятать, кого-что
hinder мешать/помешать, кому-чему
hire нанимать/нанять, кого-что
hit попадать/попасть, в кого-что, чем
hold держать I, кого-что
hope надеяться/понадеяться, на кого-что
hunt ловить/поймать, кого-что
hurry спешить/поспешить

import ввозить/ввезти, кого-что, во что
include включать/включить, кого-что, во что
intend собираться/собраться
interest интересовать/заинтересовать, кого-что
introduce вводить/ввести, кого-что
invent изобретать/изобрести, что
invite приглашать/пригласить, кого-что

joke шутить/пошутить, над кем-чем, с кем-чем
jump прыгать/прыгнуть

keep сохранять/сохранить, кого-что
kill убивать/убить, кого-что
kiss целовать/поцеловать, кого-что
know знать I, кого-что, о ком-чём
know how уметь/суметь

lag behind отставать/отстать, от кого-чего
laugh смеяться I, над кем-чем
lead водить*вести/повести, кого-что
lead in вводить/ввести, кого-что, во что
lead out выводить/вывести, кого-что
learn изучить P, кого-что
leave behind оставлять/оставить, кого-что
leave by vehicle уезжать/уехать
leave on foot уходить/уйти
lie down ложиться/лечь
like любить/полюбить, кого-что
listen слушать/послушать, кого-что
live жить I
look at смотреть/посмотреть, на кого-что

remember пóмнить/вспóмнить, кого-что, о ком-чём
rent снимáть/снять, что
rent (out) сдавáть/сдать, что, кому-чему
repeat повторя́ть/повтори́ть, что
replace заменя́ть/замени́ть, кого-что, кем-чем
request проси́ть/попроси́ть, кого-что, чего
respect уважáть I, кого-что, за что
rest отдыхáть/отдохну́ть
return (give back) возвращáть/возврати́ть, кого-что, кому-чему
return (go back) возвращáться/возврати́ться
rewrite перепи́сывать/переписáть, что
ride éздить*éхать/поéхать
ring звони́ть/позвони́ть, кому
run бéгать*бежáть/побежáть
run away убегáть/убежáть
run in вбегáть/вбежáть, во что
run out выбегáть/вы́бежать
rush бросáться/брóситься

save спасáть/спасти́, кого-что, от кого-чего
say говори́ть/сказáть, что, кому-чему
say farewell прощáться/прости́ться, с кем-чем
search for искáть/поискáть, кого-что
see ви́деть I, кого-что
seem казáться/показáться, кем-чем
sell продавáть/продáть, кого-что, кому-чему
send посылáть/послáть, кого-что
set (table) накрывáть/накры́ть, что, чем
shave брить/побри́ть, кого-что
shave oneself бри́ться/побри́ться
shout кричáть I, на кого-что, о ком-чём
show покáзывать/показáть, кому-чему, кого-что
sign подпи́сывать/подписáть, что
sing петь/спеть, что
sit down сади́ться/сесть
sleep спать/поспáть
smoke кури́ть/покури́ть, что
solve решáть/реши́ть, что
spend (time) проводи́ть/провести́, что
steal красть/укрáсть,/кого-что, у кого
study занимáться/заня́ться, чем, изучáть/изучи́ть, что, учи́ться/вы́учиться, чему
subscribe выпи́сывать/вы́писать, что
summon вызывáть/вы́звать, кого-что, на что
swim плáвать*плыть/поплы́ть
swim up to доплывáть/доплы́ть, до кого-чего
switch on включáть/включи́ть, что
switch off выключáть/вы́ключить, что

take брать/взять, кого-что, у кого
take a walk гуля́ть/погуля́ть
take (someone) away уводи́ть/увести́, кого
take away (by vehicle) отвози́ть/отвезти́/кого-что, увози́ть/увезти́, кого-что
take care of берéчь/поберéчь, кого-что
take off снимáть/снять, что
talk говори́ть/поговори́ть, о ком-чём, с кем-чем

teach преподава́ть I, что, кому, учи́ть/вы́учить, кого-что, чему
tear рвать I, что
tear off отрыва́ть/оторва́ть, что
tear to bits разрыва́ть/разорва́ть, кого-что
thank благодари́ть/поблагодари́ть, кого-что, за что
think ду́мать/поду́мать, о ком-чём
throw броса́ть/бро́сить, кого-что
tidy up убира́ть/убра́ть, что
touch каса́ться/косну́ться, кого-чего
transfer переводи́ть/перевести́, кого-что
translate переводи́ть/перевести́, кого-что
transmit передава́ть/переда́ть, кого-что, кому-чему
travel путеше́ствовать I
treat лечи́ть I, кого-что
turn out ока́зываться/оказа́ться

underline подчёркивать/подчеркну́ть, что
understand понима́ть/поня́ть, кого-что
undress раздева́ть/разде́ть, кого-что
use по́льзоваться/воспо́льзоваться, чем

verify проверя́ть/прове́рить, кого-что
visit посеща́ть/посети́ть, кого-что

wait ждать/подожда́ть, кого-что or кого-чего
wake буди́ть/разбуди́ть, кого-что
wake up просыпа́ться/просну́ться
walk ходи́ть*идти́/пойти́
walk across переходи́ть/перейти́, что or через что
walk around обходи́ть/обойти́, кого-что
walk away отходи́ть/отойти́, от кого-чего
walk in входи́ть/войти́, во что
walk out выходи́ть/вы́йти, из чего
walk past проходи́ть/пройти́
walk up to подходи́ть/подойти́, к кому-чему
want хоте́ть/захоте́ть, чего
wash мыть/вы́мыть, кого-что
wash oneself мы́ться/вы́мыться
weep пла́кать/запла́кать
win выи́грывать/вы́играть, что
wish жела́ть/пожела́ть, кому-чему, чего
work рабо́тать/порабо́тать, над чем
write писа́ть/написа́ть, что, о ком-чём, кому-чему, чем

RUSSIAN-ENGLISH INDEX

THE RUSSIAN-ENGLISH INDEX contains over 600 Russian verbs in alphabetical order. Imperfective verbs are designated by I and perfective verbs by P. A definition is given for a perfective verb only when it differs significantly from that given for its imperfective counterpart. The English definitions given here are frequently not the only ones possible for each verb. For more complete definitions, a dictionary should be consulted.

The foremat of the index is as follows:

1) Verbs followed only by an English definition are conjugated in the book and are listed there in alphabetical order.

2) Verbs followed by another verb not in parentheses are conjugated in the book and are listed there under the verb that follows. These are generally perfective counterparts of listed imperfective verbs.

3) Prefixed verbs followed by a verb in parentheses are not conjugated in the book. They differ from the verb in parentheses only in prefix. Thus their conjugations are easily learned by looking at that of the verb in parentheses which is conjugated in the book. (Remember that perfective verbs are listed under their imperfective counterparts). An asterisk indicates a shift of stress which is apparent from the infinitive and is retained throughout the conjugation.

висéть I be hanging
включáть I include, switch on
включи́ть P включáть
влетáть I fly in
влетéть P влетáть
внести́ P вноси́ть
вноси́ть I carry in
води́ть I lead
возврати́ть I возвращáть
возврати́ться P возвращáться
возвращáть I give back, return
возвращáться I go back, return
вози́ть I carry by vehicle
войти́ P входи́ть
воспóльзоваться P пóльзоваться
вставáть I get up
встать P вставáть
встрéтить P встречáть
встречáть I meet
входи́ть I walk in
въезжáть I drive in
въéхать P въезжáть
выбегáть I (вбегáть) run out
вы́бежать*P (вбежáть)
выбирáть I (избирáть) elect
вы́брать* P (избрáть)
вы́везти* P (ввезти́)
вы́вести* P (ввести́)
выводи́ть I (вводи́ть) lead out
вывози́ть I (ввозить) export
вы́держать P выдéрживать
выдéрживать I pass (an exam)
выезжáть I (въезжáть) drive out
вы́ехать* P (въéхать)
вы́звать* P (назвáть)
вызывáть I (называ́ть) summon
вы́играть P выи́грывать
выи́грывать I win
вы́йти* P (войти́)
выключáть I (включáть) switch off
вы́ключить* P (включи́ть)
вылетáть I (влетáть) fly out
вы́лететь* P (влетéть)
вы́лечить P лечи́ть cure
вы́мыть P мыть
вы́мыться P мы́ться
вы́нести* P (внести́)
выноси́ть I (вноси́ть) carry out
вы́писать* P (записáть)
выпи́сывать I (запи́сывать) subscribe
вы́пить P пить
вы́полнить P выполня́ть
выполня́ть I fulfil
вырабáтывать I (зарабáтывать) produce
вы́работать* P (зарабóтать)
выражáть I express
вы́разить P выражáть
вы́расти P расти́ grow up
вытя́гивтаь I pull out
вы́тянуть P вытя́гивать
вы́учить P учи́ть
вы́учиться P учи́ться
выходи́ть I (входи́ть) walk out
вы́чистить P чи́стить

говори́ть I talk
горéть I burn
готóвить I prepare
гуля́ть I take a walk

давáть I give
дать P давáть
дви́гать I move
дви́нуть P дви́гать
дéлать I do
держáть I hold
доказáть P (заказáть)
докáзывать I (закáзывать) prove
доплывáть I swim up to

доплы́ть P доплыва́ть
доставáть I (вставáть) obtain
достáть P (встать)
ду́мать I think
дуть I blow

éздить I ride
есть I eat
éхать I éздить

жáловаться I complain
жать I press
ждать I wait
желáть I wish
жени́ться I, P marry (said of a man)
жечь I burn
жить I live

заболéть P болéть become ill
забывáть I forget
забы́ть P забывáть
зáвтракать I have breakfast
задавáть I (давáть) assign
задáть P (дать)
заинтересовáть P интересовáть
заинтересовáться P интересовáться
зайти́ P (войти́)
заказáть P закáзывать
закáзывать I order
заключáть I (включáть) conclude
заключи́ть P (включи́ть)
закрывáть I close
закры́ть P закрывáть
замени́ть P (измени́ть)
заменя́ть I (изменя́ть) replace
замерзáть I freeze
замёрзнуть P замерзáть
замéтить P замечáть
замечáть I notice
занимáть I occupy
занимáться I study
заня́ть P занимáть
заня́ться P занимáться
записáть P запи́сывать
запи́сывать I note down
заплáкать P плáкать
заплати́ть P плати́ть
запоминáть I memorize
запóмнить P запоминáть
зарабáтывать I earn
зарабóтать P зарабáтывать
засмея́ться P смея́ться begin to laugh
заснýть P (проснýться)
засыпáть I (просыпáться) fall asleep
заходи́ть I (входи́ть) drop in
захотéть P хотéть
зачёркивать I cross out
зачеркнýть P зачёркивать
зашумéть P шумéть
звать I call, name
звони́ть I ring
знакóмить I acquaint
знакóмиться I get acquainted
знать I know

игрáть I play
идти́ I ходи́ть
избегáть I (вбегáть) avoid
избежáть P (вбежáть)
избирáть I choose
избрáть P избирáть
извини́ть P извиня́ть
извиня́ть I excuse
измени́ть P изменя́ть
измени́ться P изменя́ться
изменя́ть I change
изменя́ться I become changed
изобрести́ P изобретáть

изобретáть I invent
изучáть I study
изучи́ть P изучáть learn
имéть I have
интересовáть I interest
интересовáться I be interested
искáть I search for
исключáть I (включáть) exclude
исключи́ть P (включи́ть)
испéчь P печь
исчезáть I disappear
исчéзнуть P исчезáть

казáться I seem
касáться I touch, concern
класть I place (flat)
кончáть I finish
кóнчить P кончáть
коснýться P касáться
красть I steal
кри́кнуть P кричáть give a shout
кричáть I shout
купи́ть P покупáть
кури́ть I smoke

лежáть I be lying
летáть I fly
летéть I летáть
лечи́ть I treat
лечь P ложи́ться
лить I pour
лови́ть I hunt, catch
ложи́ться I lie down
люби́ть I like, love

мешáть I hinder
мочь I be able
мыть I wash
мы́ться I wash oneself

надевáть I (одевáть) put on
надéть P (одéть)
надéяться I hope
назвáть P называ́ть
называ́ть I name
найти́ P (войти́)
наказáть P (заказáть)
накáзывать I (закáзывать) punish
накрывáть I (закрывáть) set (table)
накры́ть P (закры́ть)
нали́ть P лить
нанимáть I (занимáть) hire
наня́ть P (заня́ть)
написáть P писáть
нарисовáть P рисовáть
находи́ть I (входи́ть) find
начáть P начинáть
начинáть I begin
ненави́деть I (ви́деть) hate
нести́ I носи́ть
носи́ть I carry
нрáвиться I be pleasing

обвини́ть P (извини́ть)
обвиня́ть I (извиня́ть) blame
обгоня́ть I outdistance
обéдать I have dinner
обеспокóить P беспокóить
обеспокóиться P беспокóиться
обещáть I, P promise
обогнáть P обгоня́ть
обойти́ P (войти́)
оборвáть P (взорвáть)
обрывáть I (взрывáть) break off
обходи́ть I (входи́ть) walk around
объясни́ть P объясня́ть
объясня́ть I explain
одевáть I dress
одевáться I get dressed
одéть P одевáть

оде́ться P одева́ться
оказа́ться P (заказа́ть)
ока́зываться I (зака́зывать) turn out
опа́здывать I be late
описа́ть P (записа́ть)
опи́сывать I (запи́сывать) describe
опозда́ть P опа́здывать
осма́тривать I look over
осмотре́ть P осма́тривать
остава́ться I remain
оста́вить P оставля́ть
оставля́ть I leave behind
остана́вливать I bring to a stop
остана́вливаться I come to a stop
останови́ть P остана́вливать
останови́ться P остана́вливаться
оста́ться P остава́ться
отвезти́ P (ввезти́)
отве́тить P отвеча́ть
отвеча́ть I answer
отвози́ть I (ввози́ть) take away (by car)
отдава́ть I (дава́ть) give away
отда́ть P (дать)
отдохну́ть P отдыха́ть
отдыха́ть I rest
отказа́ть P (заказа́ть)
отка́зывать I (зака́зывать) refuse
открыва́ть I (закрыва́ть) open
откры́ть P (закры́ть)
отлича́ть I distinguish
отлича́ться I be distinguished
отличи́ть P отлича́ть
отличи́ться P отлича́ться
отнести́ P (внести́)
относи́ть I (вноси́ть) carry away
отойти́ P (войти́)
оторва́ть P (взорва́ть)
отрыва́ть I (взрыва́ть) tear off
отстава́ть I (встава́ть) lag behind
отста́ть P (встать)
отходи́ть I (входи́ть) walk away
ошиба́ться I make a mistake
ошиби́ться P ошиба́ться

па́дать I fall
перевести́ P (ввести́)
переводи́ть I (вводи́ть) transfer, translate
передава́ть I (дава́ть) transmit
переда́ть P (дать)
перейти́ P (войти́)
перемени́ть P (измени́ть)
переменя́ть I (изменя́ть) exchange
перенести́ P (внести́)
переноси́ть I (вноси́ть) carry across
переписа́ть P (записа́ть)
перепи́сывать I (запи́сывать) re-write
переходи́ть I (входи́ть) walk across
петь I sing
печь I bake
писа́ть I write
пить I drink
пла́вать I swim
пла́кать I weep
плати́ть I pay
плыть I пла́вать
побежа́ть P (вбежа́ть)
побере́чь P бере́чь
поблагодари́ть P благодари́ть
побри́ть P брить
побри́ться P бри́ться
повезти́ P (ввезти́)
повести́ P (ввести́)
пове́рить P ве́рить
повтори́ть P повторя́ть
повторя́ть I repeat
погуля́ть P гуля́ть
поднима́ть I (занима́ть) raise

поднять P (занять)
подождать P ждать
подойти P (войти)
подписать P (записать)
подписывать I (записывать) sign
подумать P думать
подуть P дуть
подходить I (входить) walk up to
подчёркивать I (зачёркивать) underline
подчеркнуть P (зачеркнуть)
поехать P (въехать)
пожаловаться P жаловаться
пожать P жать
пожелать P желать
позавтракать P завтракать
позвать P звать
позвонить P звонить
познакомить P знакомить
познакомиться P знакомиться
поискать P искать
поймать P ловить
пойти P (войти)
показать P (заказать)
показаться P казаться
показывать I (заказывать) show
покрывать I (закрывать) cover
покрыть P (закрыть)
покупать I buy
покурить P курить
полежать P лежать
полететь P (влететь)
положить P класть
получать I receive
получить P получать
пользоваться I use, enjoy
полюбить P любить
помешать P мешать
помнить I remember
помогать I help
помочь P помогать
понадеяться P надеяться
понести P (внести)
понимать I (занимать) understand
понравиться P нравиться
понять P (занять)
пообедать P обедать
попадать* I (падать) hit, get to
попасть P (упасть)
поплыть P (доплыть)
поправить P поправлять
поправиться P поправляться
поправлять I correct
поправляться I get well
попросить P просить
попутешествовать P путешествовать
поработать P работать
посетить P посещать
посещать I visit
посидеть P сидеть
послать P посылать
последовать P следовать
послушать P слушать
посмотреть P смотреть
посоветовать P советовать
поспать P спать
поспешить P спешить
поспорить P спорить
поставить P ставить
постараться P стараться
постоять P стоять
постричь P стричь
построить P строить
поступать I enroll
поступить P поступать
посылать I send
потанцевать P танцевать
потерпеть P терпеть
потерять P терять
потребовать P требовать

поу́жинать P у́жинать
поцелова́ть P целова́ть
почу́вствовать P чу́вствовать
пошути́ть P шути́ть
предви́деть I (ви́деть) foresee
предпоче́сть P предпочита́ть
предпочита́ть I prefer
предсказа́ть P (рассказа́ть)
предска́зывать I (расска́зывать) foretell
предста́вить P (оста́вить)
представля́ть I (оставля́ть) present
преподава́ть I (дава́ть) teach
привезти́ P (ввезти́)
привести́ P (ввести́)
привлека́ть I attract
привле́чь P привлека́ть
приводи́ть I (вводи́ть) bring (someone)
привози́ть I (ввози́ть) bring by car
привыка́ть I become accustomed
привы́кнуть P привыка́ть
пригласи́ть P приглаша́ть
приглаша́ть I invite
пригото́вить P гото́вить
приезжа́ть I (въезжа́ть) come by car
прие́хать P (въе́хать)
признава́ть I recognize
призна́ть P признава́ть
прийти́ P приходи́ть
прилета́ть I (влета́ть) come flying
прилете́ть P (влете́ть)
принести́ P (внести́)
принима́ть I (занима́ть) accept
приноси́ть I (вноси́ть) bring (carry)
приня́ть P (заня́ть)
приобрести́ P (изобрести́)
приобрета́ть I (изобрета́ть) acquire
приходи́ть I come on foot
прове́рить P проверя́ть
проверя́ть I verify
провести́ P (ввести́)
проводи́ть I (вводи́ть) spend (time)
продава́ть I (дава́ть) sell
прода́ть P (дать)
продолжа́ть I continue
продо́лжить P продолжа́ть
проезжа́ть I (въезжа́ть) drive by
прое́хать P (въе́хать)
проигра́ть P (сыгра́ть)
прои́грывать I (выи́грывать) lose (a game)
произнести́ P (внести́)
произноси́ть I (вноси́ть) pronounce
пройти́ P (войти́)
пропада́ть* I (па́дать) be lost
пропа́сть P (упа́сть)
прописа́ть P (записа́ть)
пропи́сывать I (запи́сывать) prescribe
проси́ть I request
просну́ться P просыпа́ться
прости́ть P проща́ть
прости́ться P проща́ться
простуди́ться P простужа́ться
простужа́ться I catch cold
просыпа́ться I wake up
проходи́ть I (входи́ть) walk past
прочита́ть P чита́ть
проща́ть I forgive
проща́ться I say farewell
пры́гать I jump
пры́гнуть P пры́гать
пря́тать I hide
путеше́ствовать I travel

рабо́тать I work
разбуди́ть P буди́ть
развлека́ть I (привлека́ть) distract

развле́чь P (привле́чь)
раздева́ть I (одева́ть) undress
раздева́ться I (одева́ться) get undressed
разде́ть P (оде́ть)
разде́ться P (оде́ться)
различа́ть I (отлича́ть) differentiate
различи́ть P (отличи́ть)
разорва́ть P (взорва́ть)
разраба́тывать I (зараба́тывать) develop
разрабо́тать P (зарабо́тать)
разре́зать P ре́зать
разруша́ть I destroy
разру́шить P разруша́ть
разрыва́ть I (взрыва́ть) tear to bits
рассерди́ться P серди́ться
рассказа́ть P расска́зывать
расска́зывать I narrate
рассма́тривать I (осма́тривать) consider
рассмотре́ть P (осмотре́ть)
расти́ I grow
рвать I tear
ре́зать I cut
реша́ть I solve
реши́ть P реша́ть
рисова́ть I draw
роди́ться P рожда́ться
рожда́ться I be born

сади́ться I sit down
сгоре́ть P горе́ть
сдава́ть I (дава́ть) rent (out)
сдать P (дать)
сде́лать P де́лать accomplish
серди́ться I get angry
сесть P сади́ться
сжечь P жечь
сиде́ть I be sitting
сказа́ть P говори́ть say
скрыва́ть I (закрыва́ть) conceal
скрыть P (закры́ть)
сле́довать I follow
слу́шать I listen
слы́шать I hear
смея́ться I laugh
смотре́ть I look at
смочь P мочь
снима́ть I (занима́ть) take off, photograph, rent
снять P (заня́ть)
собира́ть I (избира́ть) collect
собира́ться I (избира́ть) gather, intend
собра́ть P (избра́ть)
собра́ться P (избра́ть)
сове́товать I advise
создава́ть I (дава́ть) create
созда́ть P (дать)
сойти́ P (войти́)
сосчита́ть P (прочита́ть)
сохрани́ть P сохраня́ть
сохраня́ть I keep
спаса́ть I save
спасти́ P спаса́ть
спать I sleep
спеть P петь
спеши́ть I hurry
спо́рить I argue
спра́шивать I ask (a question)
спроси́ть P спра́шивать
спря́тать P пря́тать
спуска́ть I lower
спуска́ться I descend
спусти́ть P спуска́ть
спусти́ться P спуска́ться
ста́вить I place (upright)
станови́ться I become
стара́ться I attempt

стать P станови́ться
сто́ить I cost
стоя́ть I be standing
стричь I cut (hair)
стро́ить I build
суме́ть P уме́ть
сходи́ть I (входи́ть) get off, come down
счита́ть I (чита́ть) count
съесть P есть consume
сыгра́ть P игра́ть

танцева́ть I dance
терпе́ть I endure
теря́ть I lose
теря́ться I be lost
тре́бовать I demand

убега́ть I (вбега́ть) run away
убежа́ть P (вбежа́ть)
убива́ть I kill
убира́ть I (избира́ть) tidy up
уби́ть P убива́ть
убра́ть P (избра́ть)
уважа́ть I respect
увезти́ P (ввезти́)
увести́ P (ввести́)
уви́деть P ви́деть catch sight of
уводи́ть I (вводи́ть) take (someone) away
увози́ть I (ввози́ть) take away by car
уезжа́ть I (въезжа́ть) leave by car
уе́хать P (въе́хать)
у́жинать I have supper
узнава́ть I (признава́ть) find out
узна́ть P (призна́ть)
уйти́ P (войти́)
укла́дывать I pack
укра́сть P красть
улета́ть I (влета́ть) fly away
улете́ть P (влете́ть)
уложи́ть P укла́дывать
умере́ть P умира́ть
уме́ть I know how
умира́ть I die
унести́ P (внести́)
уноси́ть I (вноси́ть) carry away
упа́сть P па́дать
услы́шать P слы́шать catch sound of
успева́ть I have time
успе́ть P успева́ть
устра́ивать I arrange
устро́ить P устра́ивать
уходи́ть I (входи́ть) leave on foot
учи́ть I teach, learn
учи́ться I study

ходи́ть I walk
хоте́ть I want

целова́ть I kiss

чи́стить I clean
чита́ть I read
чу́вствовать I feel

шуме́ть I make noise
шути́ть I joke